Hannegret Bausinger

Fit und entspannt in die zweite Lebenshälfte

Das Wohlfühlbuch ab 50

aethera®

die heilenden Kräfte im Menschen stärken,
die Bildung des eigenständigen Urteils unterstützen,
die Initiativbereitschaft von Patienten und Verbrauchern fördern.

An der Herausgabe des aethera-Programmes wirken mit:
der Verein für Anthroposophisches Heilwesen,
die Heilmittelfirma Weleda, die Gesellschaft Anthroposophischer Ärzte
und die Medizinische Sektion am Goetheanum.

Über dieses Buch: Nach dem großen Erfolg mit ihrem *Natürlichen Wohlfühlbuch* beschreibt Hannegret Bausinger in ihrem zweiten Buch zahlreiche Möglichkeiten, wie man auch im fortgeschrittenen Alter auf sich achten und es sich gut gehen lassen kann. Dabei berücksichtigt sie in gleichem Maße Körper, Geist und Seele – und gibt wieder anregende Tipps aus ihrem praktischen Alltag als Leiterin eines Wellness-Studios.

Über die Autorin: Hannegret Bausinger, Jahrgang 1962, hat eine langjährige Erfahrung als Krankenschwester und Sozialtherapeutin. In zahlreichen Weiterbildungen eignete sie sich das Handwerkszeug an, um über ein breites Wissen in den Bereichen Heilkräuter, gesunde Ernährung, Rhythmische Einreibungen zu verfügen. Sie ist Dr. Hauschka Kosmetikerin und führt mit ihrer Kollegin Maria Kraft seit 2001 ein Wellness-Studio im Hotel Graf Eberhard in Bad Urach. Hannegret Bausinger bietet auch Seminare zum Thema Wellness an – ihre Anschrift finden Sie auf der Seite 126.

Hannegret Bausinger

Fit und entspannt in die zweite Lebenshälfte

Das Wohlfühlbuch ab 50

aethera®

Inhalt

Vorwort

Liebe Leserin, lieber Leser

In meinem ersten Buch, *Das natürliche Wohlfühlbuch,* habe ich viel Allgemeines zu Krankheit und Gesundheit gesammelt und niedergeschrieben und dazu noch Grundsätzliches zu Wickeln und ihrer Handhabung erklärt. Da nicht jeder den ersten Band besitzt, möchte ich in diesem Buch neben den spezifischen Punkten, die den Menschen ab 50 betreffen, noch einmal auf ganz wesentliche Punkte der natürlichen Heilmethoden eingehen.

Die durchschnittliche Lebensmitte liegt bei 35 – 40 Jahren, und es ist durchaus sinnvoll, auch schon vor 50 an die Gesundheit zu denken.

Auch in diesem Buch geht es mir wieder darum, einfach und verständlich die Wickel und ihre Handhabung darzustellen; mehr kann, muss aber nicht sein.

Es ist mir wichtig, dass Sie im Krankheitsfall etwas zur Hand haben, was eine Hilfe sein kann, um Schmerzen zu lindern!

Bedenken Sie immer: Wickel helfen nur dann, wenn Sie sich auch Zeit dafür nehmen.

Durch Wickel und Hausmittel können oft die Ursachen der Krankheit nicht behoben werden – aber sie können *lindern!* Und bedenken Sie immer, bevor Sie zu allopathischen Mitteln greifen: Was gäbe es Natürliches – *ohne* Nebenwirkungen!

Spätestens ab dem 50. Lebensjahr ist es Zeit, sich zu fragen: Bin ich überall mit mir identisch? Wenn nein, was kann ich verändern?

Bleibe ich so, wie ich momentan lebe, gesund, oder sollte ich grundlegende Dinge völlig anders angehen? Lebe ich wirklich meinen eigenen Rhythmus?

Sorge ich wirklich für mein Wohl?

Was tue ich Gutes für Körper, Geist und Seele?

Alle drei Bereiche müssen gleichermaßen gehegt und gepflegt werden, wenn man im Alter in jedem von ihnen rege sein möchte!

Was aber pflegt beispielsweise den Geist?

Immer wieder begegnen mir ältere Menschen, die mit Leidenschaft Kreuzworträtsel lösen. Man kann ja auch Gedichte auswendig lernen oder sich in bisher ganz unbekannte Themen einarbeiten, einlesen, z.B. die Aufgabe des Regenwurms im Hausgarten oder die besten Rezepte aus der Zitrone, welche Heilkräuter wachsen vor der Haustür und was sind ihre Besonderheiten …

Was kann man Gutes tun für die Seele und wie sie pflegen? Als Erstes wohl: Tun Sie einfach alles, was Ihnen gut tut!

Jeden Tag kommen zahlreiche Menschen zu mir zur Fußpflege, zur Massage usw. Alle sagen immer wieder: Ach, eigentlich tut man viel zu wenig für sich selbst! Sich verwöhnen lassen, in Konzerte gehen, ins Theater, in die wunderbare Natur, die einen verzaubern kann mit ihrem Farbenspiel und ihren Wunderwerken … Oder finden Sie nicht, dass es ein Wunder ist, dass jedes Jahr im Frühling die kleinen Veilchen gut duftend und zauberhaft wieder kommen oder die Farbe einer Kapuzinerblüte, ganz zu schweigen von dem wunderbaren Duft einer Rose? Alles das ist Balsam, Nahrung für die Seele.

Mit guter Ernährung, gesunder Bewegung und einem Ihnen angepassten Lebensrhythmus pflegen Sie Ihren Körper. Richtige Pflegeprodukte sind noch ein Zusätzliches, wenn man seinen Körper gesund erhalten möchte.

Ich hoffe – und bin sicher –, dass Sie mit der Zeit selbst viele Ideen und Möglichkeiten finden, sich selbst immer wieder etwas Gutes zu tun.

Viel Erfolg und viel Spaß beim Lesen

Hannegret Bausinger

Ungelöst

Ich weiß
noch immer nicht
ob ich manche Dinge
(es werden mehr
und mehr)
nicht mehr wollen kann
oder nur
nicht mehr können will

Das macht nichts
Sie werden mich
so
oder so
zu Falle bringen

Erich Fried

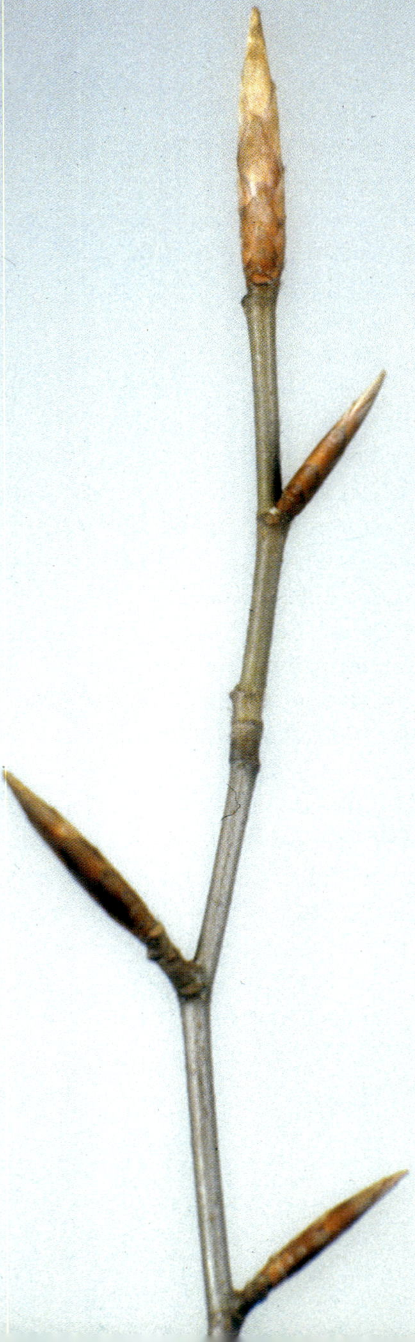

Die Psyche und unsere Gesundheit

Man kann sich in schwierigen Situationen des Lebens in die Haltung begeben, die im Gedicht auf der linken Seite zum Ausdruck gebracht wird; es ist leicht, sich gehen zu lassen, zu resignieren. Ich möchte Ihnen aber mit einer kleinen Geschichte zeigen, wie hilfreich Ihre Mitmenschen für Sie sein können, wenn Sie meinen, Sie seien ganz auf sich allein gestellt:

In der Nähe eines Teiches waren einmal zwei Frösche in einen sehr tiefen Brunnenschacht gefallen. Oben beklagte die gesamte Froschsippe das Schicksal der armen Frösche. Sie liefen aufgeregt am Brunnenrand entlang und riefen unaufhaltsam: »Ihr Armen, der Brunnenschacht ist zu tief, ihr werdet nie wieder herauskommen!«

Der eine Frosch versuchte es mit viel Anstrengung, hüpfte hoch, hörte immer wieder die Rufe der anderen: »Du schaffst es nicht, der Brunnen ist zu tief!«

Da gab er auf und starb jämmerlich.

Der andere Frosch aber versuchte es unaufhaltsam, Stunde um Stunde. Er hüpfte hoch und kam immer höher. »Du schaffst es nicht«, rief die Sippe unaufhörlich. Er sprang und sprang – plötzlich gelang ihm der entscheidende Sprung und er landete am Brunnenrand. »Wieso bist du gesprungen? Wir haben dir gesagt, der Brunnen ist zu tief.« Da stellte sich heraus, dass der Frosch nichts verstanden und das aufgeregte Hin- und Herlaufen und Zurufen seiner Sippe als Bestärkung und Anfeuerung aufgenommen hatte. Nur so war ihm der entscheidende Sprung gelungen.

Was tut gut – was schwächt uns?

Kennen Sie die Situation: Sie werden um Hilfe gefragt und eigentlich wollen Sie Ihre wohl verdiente Freizeit genießen. Aber Sie haben das Gefühl, nicht Nein sagen zu können? Dann lernen Sie ab sofort Nein zu sagen!

Ihnen ist eigentlich nach Verschnaufpause, aber da ist ja noch das Fensterputzen, die Wäsche wartet, der Hund will versorgt sein, im Garten wartet das Unkraut auf Vernichtung ... Eines nach dem anderen!

Einen Satz habe ich wohl in all den Jahren am allermeisten von Menschen gehört, die plötzlich mit Krebs oder sonst einer schweren chronischen Krankheit ins Krankenhaus kamen: »Herr Doktor, ich war immer für andere da und nie krank, und jetzt bin ich so krank!«

Warum wohl? Das Leben ist nicht nur Einatmen, sondern auch Ausatmen.

Es heißt in der Bibel *nicht:* Liebe deinen Nächsten mehr als dich. Sondern es heißt: Liebe deinen Nächsten *wie dich selbst*!

Zwischen Egozentrik oder Egoismus und Selbstaufopferung gibt es viele Facetten, jeder hat die Möglichkeit, eine Facette für sich zu finden.

Oft ist es auch gar nicht das Tun selbst, das uns abhält, etwas für uns zu tun, sondern das *Aushalten* von uns selbst. Wenn ich etwas für andere tue, höre ich ja oft einen Dank oder bekomme Bestätigung; wenn ich etwas für mich tue, dauert es unter Umständen ewig, bis ich den Erfolg sehe oder spüre, aber es lohnt sich!

Haben Sie kein schlechtes Gewissen mehr, wenn Sie mittags eine Pause machen oder wenn Sie nicht zur backwütigsten Frau Deutschlands zählen wollen. Das gilt für Männer natürlich genauso. Lassen Sie doch Ihr Auto einen Tag länger mit etwas Schmutz behaftet sein, genießen Sie heute den Tag und tun Sie etwas für sich!

Ab jetzt gilt: Was kann ich mir Gutes tun – was stärkt mich und hält mich gesund?

Denken Sie darüber nach, bevor es zu spät ist. Viele Ärzte sagen ihren Patienten: Es ist später als Sie denken!

Lernen Sie jetzt die Sprache Ihres Körpers kennen, passen Sie sich Ihrem Alter an. Sie sind keine Dreißig mehr und müssen demzufolge auch nicht die Kräfte und Power eines(r) Dreißigjährigen haben!

Was unsere Psyche alles vermag – im Positiven, aber auch im Negativen

Körper, Geist und Seele sind eine Einheit und immer als Ganzes zu betrachten.

Durch körperliche Dauerbelastung kann die Psyche leiden – und umgekehrt. So kann es sein, dass Sie über lange Jahre Ihren Körper permanent überbelasten, zu wenig Schlaf bekommen usw. Sie haben ständig Kreuzschmerzen, und irgendwann klappen Sie sprichwörtlich zusammen, und es scheint erst einmal nichts mehr möglich zu sein. Sie sind mutlos, Ihre Psyche leidet.

Umgekehrt kann es sein, dass Sie mit Situationen konfrontiert sind, die Sie permanent psychisch belasten – Sie werden am Arbeitsplatz gemobbt, Sie sind allein mit der Pflege eines Familienangehörigen usw. Die psychische Anspannung ist so groß, dass es zu einer Manifestation im Körper kommt: Magengeschwür, Bluthochdruck, Krebs und dergleichen sind keine Seltenheit in solchen Situationen.

Wenn Sie ständig unter Druck stehen, kann Ihr Blutdruck in die Höhe gehen. Wenn Sie zunehmend Kreuzschmerzen haben, wird vielleicht zu viel ›auf Ihrem Rücken‹ ausgetragen, lastet zu viel auf ihren Schultern. Oder Ihre Cholesterinwerte verschlechtern sich, weil Sie alles in sich hineinfressen und damit Galle und Leber überfordern.

Diese Liste ließe sich beliebig erweitern, und wenn Sie darüber nachdenken, fallen Ihnen bestimmt viele Beispiele ein. Nehmen Sie nur unsere guten alten Sprichwörter: »Mir läuft die Galle über.« – »Ich bekomme sooo einen Hals.« – »Das ist mir auf den Magen geschlagen.« Sie gelten heute immer noch!

Was aber, wenn eine Krankheit sich so massiv an Ihren Körper geheftet hat, dass Sie darunter leiden?

Prüfen Sie als Erstes: Was belastet mich am Arbeitsplatz, mit den Kollegen, in der Familie, und wo kann ich etwas verändern?

Und prüfen und recherchieren Sie gut und gründlich, lassen Sie vor allem jeden Gedanken zu, der Ihnen kommt. Sortiert wird später!

Vielleicht wohnen Sie in einer Gegend, in der Sie sich komplett unwohl fühlen? (Alle ihre Nachbarn sind sportlich. Also setzen Sie sich unter Druck, weil Sie denken: »Ich sollte auch mehr Sport treiben.«) Denken Sie jetzt nicht: »So etwas löst doch nicht gleich eine Krankheit aus!« Das tut es sehr wohl! Genau solche Dinge können – müssen nicht, aber können – einen enormen Druck verursachen, der mit der Zeit auf die Gesundheit schlägt.

Vielleicht ist es nicht Ihr privates Umfeld, aber am Arbeitsplatz fühlen Sie sich unwohl unter lauter Menschen, die andere Interessen haben als Sie, oder Ihre Kollegin / der Kollege macht dauernd blöde Bemerkungen, oder aber Ihr Arbeitspensum ist nicht zu bewältigen, oder der Chef kommt immer wieder kurz vor Feierabend: »Da hätten wir noch etwas Wichtiges zu erledigen, ich kann mich doch wie immer auf Sie verlassen?!« Oder im Zuge einer Umgestaltung der Firma bekommen Sie ein so kleines Zimmer, dass Ihnen buchstäblich die Luft zum Atmen genommen wird.

Bei all diesen Beispielen ist mehr krank machendes Potenzial enthalten, als Sie denken! Und sollten Sie sich in einem davon wiederfinden, denken Sie bloß nicht: »Ach, was soll ich mich jetzt noch damit aufhalten?!«

Wenn Sie den Eindruck haben, Ihre Gesundheit wird beeinträchtigt, dann verändern Sie etwas, selbst in Ihrem Alter kann ein Arbeitsplatzwechsel dran sein! Viele Firmen schätzen inzwischen wieder durchaus eine gute und lange Arbeitserfahrung, und wenn es um jüngere Mitstreiter/innen geht, dann können Sie durchaus aufgrund Ihrer Erfahrung bevorzugt werden.

Denn angenommen, Sie haben noch 10 bis 15 Jahre vor sich, kann ein nerviger Arbeitsplatz ganz schön an Ihrer Gesundheit nagen. Was haben Sie davon, wenn Sie jetzt die Zähne zusammenbeißen, auf denen Sie, bildlich gesprochen, dann, wenn die wohl verdiente Rentenzeit kommt, nicht mehr kauen können? Schauen Sie nach sich und fangen Sie an, es sich selbst recht zu machen!

Vielleicht ist nicht gleich ein Arbeitsplatzwechsel nötig, sondern nur das längst fällige Gespräch mit dem Chef, dem Personalrat, der Kollegin, dem Kollegen. Klärende Worte sind in der Familie wie im Beruf oft der Schlüssel für positive Wandlungen!

Wer in Ihrer Verwandtschaft schafft Sie? Seien Sie ehrlich mit sich und gehen Sie auch da keine Kompromisse ein.

Ist die Loslösung der Kinder schwieriger als Sie dachten? Das Verhältnis zu Schwiegermutter, Schwager, Schwägerin, Schwester so, dass Sie keine Luft zum Atmen haben?

Befreien Sie sich von dem Zwang, es allen recht machen zu wollen. Sie sind für sich und Ihre Gesundheit zuständig und müssen für sich sorgen, denn Ihre Gesundheit ist Ihr kostbarstes Gut!

Verschieben Sie nichts und denken Sie, es wird sich schon irgendwann erledigen. Probleme, die man verdrängt, kommen so lange wieder, bis man sich ihrer annimmt.

Wenn Sie recherchiert und geprüft und einen Grund gefunden haben – oft ist es ja auch ›nur‹ die Einstellung zu den Dingen –, suchen Sie Wege zur Lösung des Problems. Als Möglichkeit gibt es unter anderem: den Heilpraktiker, Fußreflexzonenmassage, kinesiologische Beratung, Familienaufstellung, Akupunktur.

Wichtig bei allem ist: Welcher Grund auch vorliegt, es ist *Ihre* persönliche Angelegenheit. Geben Sie die Schuld nicht nur dem Umfeld, der Verwandtschaft, den Kollegen! Wenn Sie hin und wieder einmal einfach nur an sich denken, kann nichts auf der Welt Sie aus der Ruhe und dem Gleichgewicht bringen.

So hat auch jede Krankheit mit *Ihnen* zu tun. Sie ist niemals als Strafe, immer jedoch als Resultat vorhergegangener Situationen und als Chance zu sehen!

Viel Licht und Kunst am Bau schaffen eine angenehme Atmosphäre

In meiner Ausbildung sagte unsere Oberschwester oft: »Auf die Infektionsstation kommen nur Schwestern, die keine Angst vor Ansteckung haben!« – Sich mit innerer Kraft gegen Situationen zu stellen, sich also nicht wehrlos von ihnen treiben zu lassen, ist einfacher als Sie annehmen. Und bedenken Sie immer: Sie verlieren nichts, Sie gewinnen nur!

Die Schwierigkeit, es allen recht zu machen

Eine kleine Geschichte kann Ihnen vielleicht verdeutlichen, wie unmöglich es ist, es immer allen recht zu machen:

Ein Vater zog mit seinem Sohn und einem Esel in der Mittagsglut durch die staubigen Gassen von Keshan. Der Vater saß auf dem Esel, den der Junge führte. »Der arme Junge«, sagte da ein Vorübergehender. »Seine kurzen Beinchen versuchen mit dem Tempo des Esels Schritt zu halten. Wie kann man so faul auf dem Esel herumsitzen, wenn man sieht, dass das kleine Kind sich müde läuft?« Der Vater nahm sich dies zu Herzen, stieg hinter der nächsten Ecke ab und ließ den Jungen aufsitzen. Gar nicht lange dauerte es, da erhob schon wieder ein Vorübergehender seine Stimme: »So eine Unverschämtheit. Sitzt doch der kleine Bengel wie ein Sultan auf dem Esel, während sein armer, alter Vater nebenher läuft.« Dies schmerzte den Jungen, und so bat er den Vater, sich hinter ihn auf den Esel zu setzen. »Hat man so etwas schon gesehen?«, keifte eine schleierverhangene Frau, »solche Tierquälerei! Dem armen Esel hängt der Rücken durch, und der alte und der junge Nichtsnutz ruhen sich auf ihm aus, als wäre er ein Diwan, die arme Kreatur!« Die Gescholtenen schauten sich an und stiegen beide, ohne ein Wort zu sagen, vom Esel herunter. Kaum waren sie wenige Schritte neben dem Tier hergegangen, machte sich ein Fremder über sie lustig: »So dumm möchte ich nicht sein. Wozu führt ihr denn den Esel spazieren, wenn er nichts leistet, euch keinen Nutzen bringt und noch nicht einmal einen von euch trägt?« Der Vater schob dem Esel eine Hand voll Stroh ins Maul und legte seine Hand auf die Schulter seines Sohnes. »Gleichgültig, was wir machen«, sagte er, »es findet sich doch jemand, der damit nicht einverstanden ist. Ich glaube, wir müssen selbst wissen, was wir für richtig halten.«

Wichtige Tipps zur Entspannung bei Unruhe- und Angstzuständen, die durch Stress hervorgerufen sind oder aus unglücklichen Lebenssituationen herrühren

Jeder kennt Situationen, die uns Angst machen, oder das Gefühl, sich in einer Lebenskrise zu befinden, in der alles ausweglos erscheint.

Die Quintessenz aller Antworten auf die Frage, wie verschiedene Menschen aus schwierigen Situationen wieder herausgekommen sind oder wie sie die Angst überwunden haben, war:

»Ich habe irgendwann verstanden: Ich bin in diese Situation hineingeraten, ich habe die Chance, da auch wieder herauszukommen.«

Wir haben es in der Hand, aus schwierigen Situationen herauszukommen. Als Erstes durch den Satz: »Ich will!«

Schauen Sie sich in Ihrem Bekanntenkreis um, wer aus schwierigen Situationen herausgekommen ist und *was* die Ursache war.

In seinem *Handbuch des Kriegers des Lichts* sagt Paulo Coelho: »Ein Krieger des Lichtes geht nicht unter, wenn er ins Wasser fällt, er geht unter, wenn er den Kopf unter Wasser behält.«

Übersehen Sie niemals die Zeichen, die Ihnen als Hilfe gereicht werden.

In einem Dorf gab es einmal eine große Flut. Ein gläubiger, frommer Mann wollte sein Haus nicht verlassen, und er wies alle Angebote, gerettet zu werden, zurück. Die Hilfstrupps zogen von dannen, der Mann setzte sich auf sein Dach und wartete, dass die Flut zurückgehe. Der Bürgermeister selbst kam als einer der Letzten zu ihm, um ihn in sein Schiff zu nehmen und zu retten, aber der fromme Mann winkte ab und sprach: »Ist es der Wille Gottes, dass ich sterbe, so sterbe ich.«

Kurz ehe sein Haus vollends versank, schwamm ein dicker Ast am Haus des Mannes vorbei, er aber ergriff ihn nicht, sein Haus versank und er ertrank.

Im Himmel fragte er den lieben Gott: »Ich war immer ein frommer und gläubiger Mann. Warum hast du mich sterben lassen?« Da antwortete Gott: »Ich habe dir den Hilfstrupp geschickt, du aber bliebst; ich habe dir den Bürgermeister geschickt, du gingst nicht mit ihm; ich habe dir einen kräftigen Ast an deinem Haus vorbeigeschickt, du hast ihn nicht ergriffen. Was hätte ich noch tun sollen?«

Um aus Krisen herauszukommen, braucht es manchmal einfach einige Tricks.

Legen Sie ein Buch an, in dem Sie Ihre Erfolge festhalten: Über was können Sie sich freuen, bei was können Sie entspannen?
Prüfen Sie genau, was Ihnen Kraft raubt, den letzten Nerv kostet, wovor Sie Angst haben, wann die Angst auftritt.
Spinnen Sie Luftschlösser: Was wäre wenn: Sie die Arbeit wechseln würden, weniger Stress hätten, länger schlafen könnten, endlich mal Zeit für das hätten, was Sie wollen, die Angst nicht da wäre.
Wenn Sie zu Punkt 1 mindestens 10 Punkte notiert haben, machen Sie sich einen Plan, wann Sie diese Dinge tun wollen, damit Sie entspannen und sich freuen können.
Zu Punkt 2: Wenn Sie alle Punkte haben, überlegen Sie allein oder mit Hilfe, wie sich die Punkte der Reihe nach angehen lassen, wie Sie Nervennahrung bekommen, der Angst Beine machen, Kräfte tanken und gestärkt in den nächsten Tag gehen können.
Zu Punkt 3: Überlegen Sie, wie Sie auch diese Dinge umsetzen können, Stück für Stück. Versuchen Sie, zu allen Ihren Luftschlössern mindestens 10 Umsetzungsstrategien zu finden, und setzen Sie diese dann um.

Zum Beispiel: Was macht mir Angst?
Das Pensum meiner Arbeit ist nicht zu bewältigen.
Meine Partnerschaft ist zerrüttet, aber ich habe Angst mich zu trennen.
Die Angst vor einem Herzinfarkt schnürt mir die Kehle zu.

Zu 1: Lösungen:
Nur noch so viel annehmen, wie ich bewältigen kann.
Nein sagen lernen.
Wichtige Dinge zuerst. Neue Arbeiten erst annehmen, wenn das vorherige Pensum fertig ist.

Zu 2: Hier könnte angeschaut werden, wovor man Angst hat:
Was sagen die Freunde?
Warum fürchte ich mich vor dem Alleinsein?
Was gewinne ich möglicherweise?
(z. B.: Meine Freiheit – ich kann besser meinen Interessen nachgehen. Ein Ortswechsel täte mir gut. Ich könnte mich endlich meinen Hobbys widmen.)

Zu 3: Ich könnte ein Extra-Gesundheitsprogramm anfangen, welches dem Herzinfarkt entgegenwirkt:
Ernährung
Sport, Gymnastik
Sauna, Thermalbad,
Entschlackung (siehe S. 35 ff.) usw.

Um wirklich Stress abzubauen und dunkle Stimmungen zu vertreiben, ist es ein *Heilmittel*, in die Natur zu gehen! Gehen Sie durch den Wald, über Blumenwiesen, betrachten Sie interessiert das Farbenspiel der Natur. Die Natur gibt Kraft, ohne etwas zu fordern.

Lassen Sie sich den Morgen nicht mit Horrormeldungen aus den Nachrichten verderben, die heutige Medienkultur baut immer stärker darauf, die Bevölkerung zu verunsichern. Setzen Sie dem etwas Positives entgegen, anstatt zu denken: Die ganze Welt ist schlimm, ich allein kann ja doch nichts ausrichten. Denken Sie lieber: Wenn morgen die Welt unterginge, pflanzte ich heute noch einen Baum. So kann man dem Beängstigenden entgegenwirken und Positives bewirken. Der Blick in die Zeitung versperrt oft den Blick in die Welt!

Was Sie mit Düften zur Entspannung tun können, steht im Kapitel »Entspannung durch Düfte«. Was Sie sonst noch tun können:

Reiben Sie Ihr Sonnengeflecht (Stelle über dem Bauchnabel) im Uhrzeigersinn mit Lavendelöl, Johanniskrautöl, Zitronenöl, Rosmarinöl ein. Im Sonnengeflecht liegen viele kleine Blutgefäße, die besonderen Schutz brauchen. Umgeben Sie sich mit gelben, orangefarbenen und warmen Rottönen. Auch Grün wirkt beruhigend und hoffnungsfroh.

Lassen Sie Ihre Leber, die Schilddrüse und den Darm gründlich untersuchen. Sind diese Organe nicht funktionstüchtig, kann kein inneres Gleichgewicht bestehen und Sie suchen vergebens im Umfeld nach Ursachen. Da könnte eine kinesiologische Sitzung viel klären.

Lassen Sie den Magnesiumgehalt Ihres Blutes feststellen. Magnesium stoppt in den Nervenbahnen den Ionenaustausch und verhindert so, dass Sie unter Strom stehen, außerdem bewirkt Magnesium eine Muskelentspannung.

Malen Sie gelbe Spiralen auf ein Blatt, die einen Ein- und *Aus*gang haben.

Bäder, z. B. Fußbäder mit Johanniskraut, hellen auf und geben Kraft.

Die Sonne kann Kräfte wecken und Ängste verdrängen. Durch Sonnenlicht werden Glücksgefühle ausgelöst, deshalb tut die erste Frühlingssonne nach einem langen, kalten, grauen Winter besonders gut.

Vielleicht tröstet Sie, dass jeder vor irgendetwas Angst hat – der starke Mann vielleicht davor, einen Herzinfarkt zu bekommen, die Businessfrau davor, Konkurrenz zu bekommen usw.

Lernen Sie auch die positiven Seiten der Angst kennen und schätzen. Angst bewahrt uns davor, gravierende Fehler zu machen, zu hoch auf einen Baum zu steigen, uns ungeschützt der Kälte auszusetzen usw. Lernen Sie Ihre persönliche Situation von allen Seiten kennen und fragen Sie sich immer wieder: Was ist daran positiv? Was kann ich daraus lernen?

Wer seine Lebenskrise – sei es Krankheit, Trennung, Arbeitsplatzverlust – als Chance sieht, kann so viel Positives daraus kreieren.

Die Nacht

Der Schlaf gleicht einer Brücke,
die vom Heute zum Morgen führt.
Unter ihr, gleich einem Traum,
flutet das Wasser, flutet die Seele.

Juan Ramon Jiminez

Einschlaf- und Schlafprobleme

Sicher haben Sie auch schon einmal gemerkt, wie unterschiedlich Sie an verschiedenen Tagen belastbar sind, sei es im Beruf oder auch im privaten Leben. Häufig hängt eine geringere Belastbarkeit mit einer unruhigen Nacht zusammen – und ebenso kann ein gesunder, entspannter Schlaf dafür sorgen, dass Sie sich am nächsten Tag kräftig und dynamisch fühlen!

Sie leiden unter Einschlaf- oder Schlafproblemen? Es gibt einige Tipps, die, regelmäßig angewendet, zu einem erheblich besseren Schlafvermögen und dadurch gesteigertem Wohlbefinden führen können.

Überlegen Sie genau und recherchieren Sie, *seit wann* Sie nicht gut schlafen. Wenn die Schlafstörungen nur zeitweise auftreten: Wann können Sie nicht gut schlafen, was ging dem Tag voraus?

Gibt es etwas in Ihrem Schlafzimmer, das vom Gefühl her störend wirkt?

Viele Menschen reagieren empfindlichst auf Wasseradern und fühlen sich interessanterweise dennoch immer wieder zu ihnen oder Erdstörfeldern hingezogen. So konnte man beobachten, dass Menschen, obwohl sie mehrmals umgezogen waren, sich automatisch immer den Platz mit den meisten Störfeldern zum Schlafen ausgesucht haben.

Auch ungünstig platzierte Fernsehantennen oder Satellitenschüsseln können zu solch immensen Beeinträchtigungen führen, dass man nicht oder nur schlecht schlafen kann, das Gleiche gilt für den Gebrauch von Handys oder schnurlosen Telefonen.

Ein großes Problem ist die Nachwirkung von zu viel Kaffee. Wenn außer Kaffee nicht genügend andere Flüssigkeit getrunken wird, reagiert der Körper mit Herzrasen und Vergiftungserscheinungen.

Tagsüber kann man sich noch einigermaßen durchkämpfen, aber sobald Ruhe einkehren soll, ist der Körper so sehr auf Hochtouren, dass er gar nicht so schnell abschalten *kann*, wie man es gern hätte. Man liegt bis in die Morgenstunden wach, hat Herzrasen und -zittern; um 5 Uhr kommt dann der ersehnte Schlaf und man kann endlich einschlafen – um dann um 6 Uhr wieder aufzustehen.

Gehen wir diese Punkte der Reihe nach durch:

Was stört Sie in Ihrem Schlafzimmer? Es kann ein Schrank sein, der falsch platziert ist, Energien abzieht. Oder eine zu grelle Vorhangfarbe – all das wirkt sich tatsächlich störend auf unseren Schlaf aus, und dies oft erst im Alter, weil man mit der Zeit empfindlicher wird.

Wenn der Partner oder die Partnerin schnarcht, suchen Sie sich einen Ausweichschlafplatz; so muss keiner leiden, und getrennte Schlafzimmer bedeuten nicht das Aus einer Ehe – manchmal sogar das Gegenteil!

Lassen Sie sich von einem Wünschelrutengänger oder Feng-Shui-Berater sagen, ob unter Ihrem Haus Wasseradern verlaufen; der Feng-Shui-Berater kann z. B. Störfelder entstören oder im Haus die optimale Energie unter Berücksichtigung etwa der Himmelsrichtungen oder ungünstig gelegener Fenster herstellen.

Fernsehantennen und Satellitenschüsseln geben messbare Energien ab, die nicht verträglich sind. Empfindliche Menschen reagieren mit Schlaflosigkeit, Kopfschmerzen und dergleichen. Das Gleiche gilt für Handys, auch da gibt es inzwischen mannigfaltige Literatur und Erfahrungsberichte über die Schädigungen durch solche Energiefelder (siehe Literatur).

Bei Vergiftungserscheinungen durch Kaffee hilft als Allererstes ausreichendes Trinken von Wasser und Tees – auch die Zufuhr von Kalzium und Magnesium wirkt sich beruhigend aus – und dann ein langsames Reduzieren des Kaffeekonsums. Sie werden bald erleben, dass z. B. Wasser durchaus auch eine belebende und wach machende Funktion besitzt und andere Energien zur Verfügung stellt als Kaffee. Oft fehlen durch zu viel Kaffeegenuss wichtige Elektrolyte, die dem Körper Energie geben. Also: Kaffee langsam reduzieren, viel, viel Wasser und Tee trinken (kein Schwarztee!). Essen Sie immer wieder Bananen, damit Sie Ihren Magnesium- und Kalziumhaushalt bereichern, außerdem liefern (reife!) Bananen viel Energie, ihre Kohlenhydrate wandelt der Körper in Zucker um, und somit haben Sie Energie und Ihre Gehirnzellen freuen sich und schütten Glückshormone aus. Versuchen Sie es in Ihrer nächsten Tiefphase: statt Kaffee eine Banane!

Wer Rotwein als Einschlafhilfe nimmt, sollte aber wissen, dass allzu viel die Tiefschlafphase beeinträchtigt und somit den Schlaf stört.

Tipps zum Einschlafen

– Als Erstes sollte Ihr Raum ruhig sein; im Alter reagiert man empfindlicher auf Geräusche. Fehlt Ihnen Ihre Tiefschlafphase, wachen Sie morgens ›gerädert‹ auf? Vermeiden Sie in Ihrem Schlafraum grelles Licht, Salzkristalle geben ein entspannendes Licht. Ihre Leselampe sollte keinen Trafo besitzen, er gibt (wie Antennen etc.) störende Energien ab.

– Zum Thema Rhythmus und seine Wirkung habe ich in meinem *Natürlichen Wohlfühlbuch* bereits etwas geschrieben. Rhythmus ist auch für den Schlaf enorm wichtig. Regelmäßiges Zubettgehen und Aufstehen wirken sich positiv auf den Schlaf aus.

– Essen Sie abends nur leichte Kost! Wie wollen Sie schlafen, wenn Ihr Körper auf Hochtouren arbeitet? Verzichten Sie abends auf Fleisch, da es Ihnen Energie zuführt, die Sie in der Nacht nicht benötigen. Kohlenhydrate dagegen machen müde und können besser verbraucht werden.

– Die optimale Raumtemperatur für den ausgewogenen und guten Schlaf liegt zwischen 14 und 18 °C. Sollte Ihnen das zu kalt sein, wärmen Sie Ihr Bett mit einer Wärmflasche oder anderen Wärmeträgern wie Kirschkern- oder Dinkelkissen vor; auch eine Wolldecke gibt Wärme, ohne dass Sie den Raum übermäßig erhitzen müssen.

Wie bei Kindern, so ist auch beim Erwachsenen das Zu-Bett-Geh-Ritual von großer Bedeutung. Wenn Sie bis kurz vor dem Schlaf am PC sitzen, spannende Krimis sehen, aufgeregt Ihre Tagesgeschehnisse Revue passieren lassen, sich über dies oder das noch sehr ärgern, wird Sie das durch die ganze Nacht begleiten. Mit Ärger sollte man nicht schlafen gehen. Setzen Sie sich hin, schreiben Sie auf, was Sie ärgert, und versuchen Sie es für den Abend abzuschließen, wenn Sie momentan nichts daran ändern können. Versuchen Sie, es am anderen Morgen anzugehen, es heißt nicht umsonst: »Der Morgen ist klüger als der Abend« – nach dem alten Abendlied: Lass die Sorg' bis morgen früh, Gott bewacht die Erden!

Beginnen Sie Ihr Zu-Bett-Geh-Ritual rechtzeitig. Zum Beispiel: Kerzen anzünden, Schlaftee aufbrühen (eine gute Mischung ist z.B. Lavendel, Melisse, Hopfen und Baldrian; dies gibt es als fertige Mischung in der Apotheke); Hafer, Baldrian und Passionsblume (Avena sativa, Baldrian und Passionsblume) als Tropfen ergeben einen idealen Schlaftrunk, je 10 Tropfen eine halbe Stunde vor dem Schlafengehen mit Wasser einnehmen.

Bereiten Sie Ihre Wärmflasche vor, lüften Sie Ihr Schlafzimmer, nehmen Sie ein Fußbad, mit der Zeit weiß der Körper: Jetzt kommt das Zu-Bett-Gehen.

In Hotels finden Sie auf Ihrem Kissen ein ›Betthupferl‹. Schokolade (in kleiner Menge) beruhigt die Nerven. Eine Honigmilch wirkt ebenfalls beruhigend; in der Milch ist unter anderem der schlaffördernde Stoff Tryptophan enthalten. Um aber aufgeschlüsselt bis zu den Hirnzellen zu gelangen, braucht er ein Zuckermolekül – und hier hilft der Honig. Außerdem hat Honig auch eine nervenberuhigende Wirkung. Sehen Sie aber den Honig ruhig auch als Medizin: Wie bei allem ist auch hier eine Überdosis nicht bekömmlich.

Tipps für den Schlaf:

Verdunkeln Sie Ihr Zimmer, auch eine weit abgelegene Straßenlaterne kann ganz schön nerven.
Mit einem Lieblingsöl das Sonnengeflecht im Uhrzeigersinn einreiben (rund um den Nabel).
Was bei Kindern hilft, hilft auch Ihnen: Füße mit warmem Lavendel- oder Melissenöl einreiben, von den Kniekehlen abwärts und über die Zehen ausstreichen. Socken an – und ab ins Bett! Kalte Füße schlafen nicht, sorgen Sie also für warme Füße beim Einschlafen. Manchem hilft auch kaltes Duschen und dann ins Bett!

»Wie man sich bettet, so liegt man« – ein alter Spruch, der immer noch gilt. Gönnen Sie sich unbedingt ein gutes Bett mit rückenschonender Matratze sowie gute Bettwäsche. Flach schläft es sich besser als zu hoch, die Decke sollte nicht zu schwer sein.

Warme Bäder über 38°C sind absolut ermüdend, Lavendel-Bademilch, Melissenbad oder Rosenbad tun das ihre dazu und sorgen für Bettschwere. Auch ein Salzbad macht müde; Salz vom Toten Meer eignet sich besonders und ist in der Apotheke erhältlich.

Wem das Baden zu lange dauert, der kann sich mit Fußbädern müde machen. Dabei empfehlen sich ansteigende Fußbäder: von 35 auf ca. 40°C langsam steigend oder einfach ein Fußbad mit Lindenblüten, Lavendel oder pur, nur mit warmem Wasser.

Frühling

Frühling läßt sein blaues Band
Wieder flattern durch die Lüfte
Süße, wohlbekannte Düfte
Streifen ahnungsvoll das Land.

Veilchen träumen schon,
Wollen balde kommen
Horch, von fern ein leiser Harfenton!
Frühling, ja du bist's!
Dich hab ich vernommen!

Eduard Mörike

Entspannung durch Düfte

Wer durch gute Düfte zur Entspannung kommen möchte – sei es als Öl in einem Duftlämpchen oder als Körperöl –, sollte unbedingt darauf achten, dass es naturreine Öle aus Demeter- oder Bio-Anbau sind. Synthetische Öle oder Parfümöle sind oft billig, aber auch gesundheitsschädigend.

Die *Zitrone* duftet angenehm erfrischend und entspannt, belebt und wirkt reinigend auch nach stressigen Gesprächen oder als Reinigungsmittel nach unangenehmen Besuchen. Der frische Duft hilft gegen Depression, ist konzentrationsfördernd und beruhigt die Nerven. Zitronenöl kann als Duft durchaus mit anderen kombiniert werden.

Geraniumöl: Geranium riecht blumig frisch und rosenähnlich. Es wirkt ausgleichend und wirkt Depressionen und psychischen Anspannungen entgegen, harmonisierend.

Honigöl: Honigöl gibt einen warmen, lieblichen Duft, der ein Wohligkeitsgefühl aufkommen lässt. Wirkt wunderbar gegen Nervosität, Unruhe und Hast, Stress und Unausgeglichenheit.

Kamille: Süßer, blumiger Duft, der beruhigend und reinigend wirkt bei Nervosität, gegen aggressive Verstimmungen; hilft im Kampf gegen Stress.

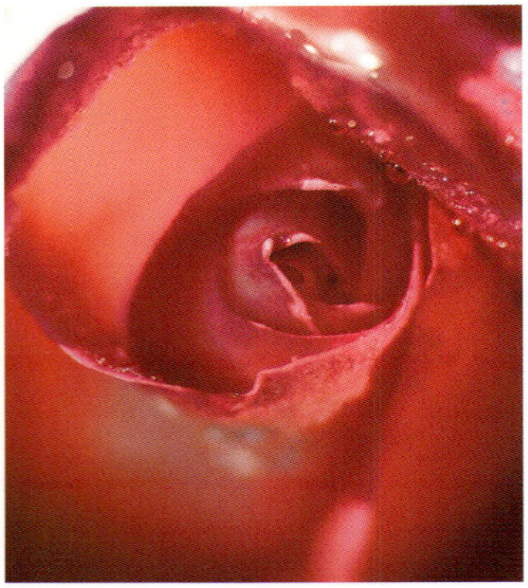

Rose: Rosenduft schützt unsere Nerven durch eine Extraportion Hülle, daher wirkt er entspannend; beim Aus-der-Haut-Fahren genau der richtige Duft, um gemütlich ›drin‹ zu bleiben. Gegen Depressionen sowie geistige und körperliche Müdigkeit.

Rosenholz: Würziger, aber nicht herber Duft, der bei Angst Entspannung bringt, bei nervlicher Überbelastung, Anspannung und Stress Ruhe einkehren lässt.

Lemongras: Lemongras verströmt einen angenehmen zitronigen Geruch und ist wie alle Zitrusdüfte beruhigend. Belebt und entspannt, wirkt aufmunternd, hilft bei Depressionen und Niedergeschlagenheit, wirkt gegen Erschöpfungszustände.

Lavendel: Der Duft zur Beruhigung und als Einschlafhilfe. Er wirkt entspannend, ausgleichend, entspannt auch die müden Glieder nach einem anstrengenden Tag.

Melisse: Als Geist verwendet beruhigt er den nervösen Magen und verscheucht Ohnmachtsanfälle. Als Duft ist die Melisse beruhigend, vertreibt Unruhe und Angstzustände, wirkt gegen Nervosität und Stress.

Salbei: Entspannt und reinigt nach unangenehmen Gesprächen, unbedingt als Not-Öl zur Hand haben! Sein würziger Duft wirkt gegen Erschöpfung und entspannt.
Um Räume zu reinigen, kann man auch ein paar Salbeiblätter verbrennen.

Mandarinenöl: Riecht wie gemütliche Winterabende, entspannt bei Aufregung und Stress, beruhigt nervöse Gemüter.

Eure Lebensmittel sollen Eure Heilmittel und
Eure Heilmittel sollen Eure Lebensmittel sein.

Hippokrates

Ernährung – Entschlackung

Einer der wichtigsten Faktoren, die zur Erhaltung unserer Gesundheit beitragen, ist die Ernährung. Wir können auch im Alter noch enorm viel zum Guten wenden, wenn uns die Ernährung am Herzen liegt.

Es fängt damit an, dass man täglich mindestens(!) 2 bis 3 Liter Wasser und ungesüßte Tees zu sich nehmen sollte. Achten Sie bei Ihrem Mineralwasser unbedingt auf die Zusammensetzung der Mineralien, denn nicht jedes Mineralwasser hält sich an den zulässigen Natriumgehalt. So kann es sein, dass Menschen mit Herzschwäche zwar bei der Ernährung das Salz deutlich reduzieren, mit dem Mineralwasser aber enorme Mengen zu sich nehmen.

Wichtig nicht nur zur Frühjahrskur sind Blut reinigende Tees wie Brennnessel, Ehrenpreis, Frauenmantel, Walnussbaumblätter, Ringelblumenblüten, Schafgarbentee. Bärlauch – als Kraut aufs Brot oder als Salat und Gemüse – eignet sich hervorragend zur Frühjahrskur. Junge Löwenzahnblätter aufs Brot oder als Salat sind ebenso helfende Blutreiniger.

Entschlackungstee:

50 g Schlüsselblumen
50 g junge Triebe vom Holunder
20 g Brennnesselblätter
15 g Löwenzahnwurzel
15 g Schafgarbe

Am besten morgens trinken, 1 Teelöffel auf zwei Tassen.

Brennnessel und Hirtentäschel zu gleichen Teilen gemischt und 2 Teelöffel auf 1 Liter Wasser, mit kochendem Wasser überbrühen, über den Morgen verteilt trinken, ist ebenfalls ein Tee, der die Blutreinigung anregt.

Mit zunehmendem Alter braucht der Körper nicht mehr so viel an Nahrung wie früher. Berücksichtigen Sie das durchaus beim Speiseplan; Ihr Magen und Ihr Körper werden es Ihnen danken.

Dagegen ist gerade mit zunehmendem Alter die Vitaminzufuhr enorm wichtig. Achten Sie auf reichliche Gemüseauswahl, allzu viel *Rohkost* (mehr als 800 g über längere Zeit) allerdings ist ungesund. Ernähren Sie sich nicht über längere Zeit ohne Absprache mit dem Arzt von Rohkost; Magenbeschwerden und Koliken sind nur ein kleiner Teil von Beschwerden, die auftreten können.

Wer bisher noch keine Entschlackungskur gemacht hat, sollte unbedingt einmal im Jahr eine ausgiebige Entschlackungskur machen. Es gibt in jeder Stadt Ärzte, die Sie dabei beratend unterstützen und die jeweils richtige Kur heraussuchen und begleiten. Eine Entschlackungskur sollte immer unter ärztlicher Betreuung vollzogen werden.

Die Entschlackung

Was bewirkt eine Entschlackung? Schlacke und Giftstoffe, die wir durch Nahrung, Medikamente und sonstige Umwelteinflüsse zu uns nehmen, setzen sich im Körper ab, besonders im Darm. Da dort aber ein Großteil unseres Blutes gereinigt wird, kann dieses, anstatt sich wirklich zu säubern, nur halb gereinigt werden. Wenn ich ein beschmutztes Tuch in trüber Brühe zu reinigen versuche, wird dieses ja auch schwerlich sauber werden. Das nicht ganz gereinigte Blut versorgt nun wieder den ganzen Organismus. Eigentlich kein Wunder, dass wir uns oft schlapp und müde fühlen.

Ich möchte einmal den Verdauungstrakt von einem anderen Licht beleuchten: Üblicherweise denkt man, die Verdauung beginne im Darm – weit gefehlt! Der Verdauungsprozess sollte schon im Mund beginnen. Die Speisen sollten mit ausreichend Speichel versehen werden, denn im Speichel sind wichtige Stoffe, mit denen die Speisen ›angedaut‹ werden. Dann werden sie durch mechanische Bewegungen in der Speiseröhre dem Magen zugeführt. Leber, Galle, Bauchspeicheldrüsen und Schleimhautdrüsen sorgen durch ihr Dazutun für das weitere Zersetzen der Speisen. Das heißt, wenn alle Organe gesund und ›in Schuss‹ sind, wird die Nahrung mechanisch, bakteriell und chemisch zersetzt und aufgeschlossen. Hier wird also nach dem Speichelfluss die Verdauung fortgesetzt.

Ist eines der Organe zu langsam oder der Bakterienhaushalt z. B. durch ein Antibiotikum oder sonst ein Medikament bzw. durch mangelhafte Ernährung aus dem Gleichgewicht gebracht, so entstehen Blähungen, Gärstühle, Völlegefühl, Müdigkeit, und es können viele lebenswichtige Stoffe nicht ausreichend weitertransportiert werden.

Wichtige Nährstoffe nämlich werden über den Darm in das Blut abgegeben, aber leider auch alle Giftstoffe, *deshalb* also immer wieder das Blut reinigen!

Eines der wichtigsten Elemente – natürlich nicht nur bei der Verdauung, aber hier spielt es eine besondere Rolle – ist das *Blut.* Alle Zellen geben ihre Abfallprodukte an das Blut ab, dieses transportiert es an die dafür vorgesehenen Stellen zur Ausscheidung. Zum Beispiel an:

– die Lunge: Dort werden schädliche Gase und Kohlensäuren ausgeschieden.

– den Darm: Er reinigt das Blut, indem er die giftigen Bestandteile mit dem Stuhl ausscheidet. (Wer unter Verstopfung leidet, hat zusätzlich also dauernd mit enormen Giftmengen zu kämpfen.)

– die Haut: Sie schwitzt giftige Stoffe und Schlacke aus oder verdunstet sie an der Hautoberfläche, oder die Giftstoffe zeigen sich in Form von Furunkeln oder Pickeln an der Hautoberfläche.

– die Nieren: Sie scheiden alle harnfähigen Gifte aus.

Gelangt nun die Speise in den Darm mit seinen unzähligen Darmwindungen und Schlingen, ist es für die Verdauung besonders wichtig, dass die Speisen den Darm zügig passieren und weiter transportiert werden können. Schon bei einer kleinen Verzögerung, wie etwa bei einer geringfügigen Darmerschlaffung, bleibt der angedaute Speisebrei am falschen Platz und wird dort unverhältnismäßig lang auch falsch bearbeitet. Es werden z. B. zu lange immer die gleichen Bakterien zugesetzt. Das lange Verweilen der Speise ruft aber auch Gärung, Fäulnis und Entzündungen hervor. Auch so können gesundheitsschädigende Gifte entstehen.

Jeder Platz im Verdauungstrakt hat seine besondere und wichtige Aufgabe, die an die Arbeit des vorigen Platzes anschließt. Hat der ›Vorarbeiter‹ ungenügende Arbeit geleistet, ist es auch dem folgenden Darmabschnitt nicht möglich, seine Arbeit ausreichend zu bewerkstelligen. So können die vorhin beschriebenen Gift- und Gärstoffe entstehen.

Aber auch durch die Zusammensetzung unserer Speisen werden noch Stoffe produziert, die hoch giftig sind. All diese Stoffe werden nun immer wieder dem Kreislauf zugeführt und verursachen an den verschiedenen Orten die unterschiedlichsten Beschwerden wie Bluthochdruck, rheumatische Beschwerden aller Art, Migräne, Müdigkeit oder Depressionen. Der Körper hat einfach nicht genügend Kraft, sich mit den verschiedenen Beschwerden auseinanderzusetzen, um ihnen positiv entgegenzuwirken.

Wie können solche Transport- und Arbeitsfehler entstehen?

Der Auftakt der Verdauung ist, wie schon gesagt, das Kauen. Wer kaut seine Speise schon einige Dutzend Mal?

Abgesehen davon, dass sich manche Speisen erst durch reichlich Speichelfluss aufschließen und dadurch für den Körper wichtige Stoffe frei werden, wie z. B. beim Brot durch reichliches Kauen der Zucker, liefert der Speichel wichtige Stoffe des Vorverdauens.

Da der Darm nun aus sehr vielen Zotten und Windungen besteht, bleibt von der ungenügend vorverdauten Speise mal hier etwas hängen, mal da etwas haften, ähnlich wie bei einem Abflussrohr, das durch Kalk und Rost uneben wird. Aus diesen in den Darmwindungen hängen gebliebenen Resten werden nun Kotsteine, Schlacken usw., die immer neue Speisereste an sich binden und oft beschwerliche Entzündungen auslösen.

Ein vergleichbarer Vorgang findet bei schwachem Bein-Bindegewebe statt, wobei der Venenrückfluss nicht rasch genug vonstatten geht. Auch hier bleiben an den Venenwänden immer wieder kleine Blutgerinnsel hängen und bilden so, an der Hautoberfläche sichtbar, die Krampfadern.

Auch der ›kranke‹ Darm zeigt seine Symptome wie Kotbäuche,

Blähbäuche und verschiedene Krankheitsbilder, nur werden sie oft nicht in Verbindung mit Verschlackung und ungenügender Darmtätigkeit gebracht. Könnte man die verdickten Darmschlingen am Oberbauch sehen, würde man viel eher reagieren.

Was kann man nun tun?

– Blut reinigende Tees helfen dem ganzen Organismus.

– Reichlich Flüssigkeitszufuhr ist ein wichtiger Bestandteil zur Erhaltung unserer Gesundheit.

– Gönnen Sie sich in jedem Fall eine qualitativ hochwertige Ernährung, sparen Sie nicht an Qualität! Kaufen Sie so viel wie möglich naturbelassene Produkte, Ihre Gesundheit sollte es Ihnen wert sein. Sie sparen es außerdem später an teuren Arzneien und Behandlungen. (Und, einmal ehrlich: Wie viel zahlen Sie für die Instandsetzung z. B. Ihres Autos? Sollten wir nicht genauso viel für unsere eigene ›Instandhaltung‹ tun?)

– Sorgen Sie dafür, dass auf Ihrem Speiseplan morgens und mittags eher die salzigen und fettigen Speisen stehen und nachmittags ab 15 Uhr die süßen und leichteren Speisen Platz haben. Die Leber spaltet die Fette von 3 bis 15 Uhr und von 15 bis 3 Uhr den Zucker.

– Essen Sie insgesamt nicht zu oft schwere Speisen, ab 50 Jahren arbeitet der Körper langsamer und braucht demzufolge nicht mehr so viele und so schwere Speisen. Essen Sie langsam und bewusst, lieber öfter kleine Mahlzeiten. Essen Sie nur noch, was gut tut. Meiden Sie Pflichtessen! Wer es wirklich gut mit Ihnen meint, nötigt Sie zu keinen Speisen, die Sie nicht vertragen. Denken Sie bei der Menge immer daran: Ein nasser, voll gesogener Schwamm nimmt kein Wasser mehr auf, so kann auch Ihr Körper gewisse Stoffe nicht durch Quantität aufnehmen.

– Entschlacken Sie im Frühjahr!

– Kauen Sie Ihre Speisen einige Dutzend Mal!

– Wenn Sie essen, lassen Sie sich von nichts ablenken!

– Essen Sie immer im Sitzen!

– Lassen Sie sich bei der Zubereitung Zeit. Und bedenken Sie auch: Das Auge isst mit!

Es ist der Geist,
der sich den Körper baut.

Friedrich Schiller

Rheumatische Erkrankungen

Rheumatische Erkrankungen können unterschiedliche Gründe haben. Die Arthrose zum Beispiel ist eine alters- und verschleißbedingte Veränderung des Gelenks, die durch angeborene oder erworbene Fehlstellungen der Gelenke hervorgerufen wird. Neben übergroßer muskulärer Belastung durch schwere Arbeit ist häufig auch Übergewicht die Ursache für eine Erkrankung.

Unter Rheuma fallen alle möglichen Leiden und Beschwerden der Gelenke, Muskeln und der Wirbelsäule.

Arthrose

ist eine Verschleißerscheinung der Gelenke durch z. B. jahrelanges falsches Auftreten der Füße nach einem Beinbruch oder einer Verstauchung. Dadurch kann ein Kniegelenk oder Oberschenkelgelenk falsch beansprucht worden sein, sodass sich Arthrose festsetzen kann. Arthrose im Hand- und Armgelenk kann ebenso durch anhaltend falsche Dauerbelastung hervorgerufen worden sein.

Neuritis

Diese sehr schmerzhafte Krankheit befällt Schleimbeutel, Sehnen, Muskeln oder Nerven und geht immer mit Entzündungen einher.

Gicht

Hierbei handelt es sich um stoffwechselbedingte Ablagerungen an Gelenken, Organen und Gewebe. Dies ist zumeist durch falsche Ernährung hervorgerufen. Wenn z. B. der Harnsäuregehalt im Blut über lange Zeit zu hoch ist, können sich Harnsäurekristalle an den Gelenken festsetzen.

Wichtig nach Brüchen, vor allem der Handknochen, ist eine lang andauernde Massage der gebrochenen Stelle. Durch die vermehrte Durchblutung kann das Gewebe gut zusammenwachsen und der nicht selten entstehende ›Gichtfinger‹ vermieden werden.

Alle rheumatischen Erkrankungen können auch durch Kälte hervorgerufen worden sein, vor allem aber durch falsche Ernährung! Hier liegt auch der natürliche Behandlungsplan Nummer eins: Entschlackende und stoffwechselanregende Tees und Kräutermischungen zu sich nehmen, viel trinken. Denken Sie bei jedem Schluck Wasser oder Tee, den Sie zu sich nehmen, an einen Gebirgsbach. Ein Gebirgsbach im Sommer reißt oft nicht einmal einen Ast oder Kieselstein mit sich, im Frühling aber, nach der Schneeschmelze, ist er in der Lage, ganze Felsbrocken in die Gänge zu bringen. So ist es in Ihrem Körper ebenfalls; je mehr Sie trinken, umso weniger bleibt irgendetwas hängen, es wird alles herausgespült.

Merken Sie sich das unbedingt auch für Begegnungen mit unangenehmen Personen. »Den Ärger hinunterspülen«, das ist ein Sprichwort, das nicht unbedingt mit Alkohol zu tun haben muss, und statt »Hinunterspülen« kann man ja auch »Herausspülen« meinen. Es wäre ja noch schöner, wenn Sie sich über jemanden ärgern und dadurch auch noch Schaden nehmen!

Was tun, wenn das Rheuma schon da ist?

Rosskastanien sind ein altes Hausmittel gegen Rheuma. Unsere Vorfahren trugen einige in den Hosentaschen und wurden so von diesem Leiden verschont. Mein Kunstlehrer erzählte es uns nebenbei einmal, seither stecke ich mir jedes Jahr im Herbst ein bis drei Kastanien in die Tasche, um von diesem Übel verschont zu bleiben.

Rosskastanien – zerstoßen in ein Tuch gegeben und erwärmt um die schmerzende Stelle gelegt – lindern sofort den starken Schmerz. Nach der Behandlung die behandelte Stelle mit lauwarmem Wasser abwaschen und ruhig halten, immer wieder erneuern.

Eine Rosskastanien-Tinktur, die zur besseren Durchblutung der Beine dient, kann auch erfolgreich als Essenz für Umschläge bei rheumatischen Beschwerden dienen. Man benötigt ca. 2 Handvoll Kastanienblüten, vor der Mittagszeit gepflückt, zerkleinert sie und füllt sie in eine dunkle Flasche. Nun werden 0,3 l Weingeist dazugegeben, und die Flasche wird fest verschlossen an einem dunklen, ruhigen Ort (Keller) vier Wochen aufbewahrt. Nun wird die gewonnene Tinktur abgeseiht und ebenfalls in einer dunklen Flasche aufbewahrt. Für kühle Umschläge oder zum Einreiben verdünnt man den Kastaniengeist 1 : 1 oder 1 : 2 mit warmem Wasser, damit die Essenz nicht gar so kalt ist.

Ein weiteres Rezept sind aufgeschnittene Rosskastanien, die mit heißem Wasser überbrüht werden. Ein kleines Frotteehandtuch wird so hineingetaucht, dass die Enden aus der Schüssel ragen. Das nun gut ausgewrungene Frotteetuch (Näheres hierzu beim feucht-heißen Wickel, siehe Seite 111) wird nun um die schmerzenden Gelenke gelegt – so heiß, wie es vertragen wird.

Brennnesseln nicht nur zur Entschlackung eingenommen, sondern äußerlich als durchblutungsfördernder Wickel um die Gelenke gelegt – sind zwar schmerzvoll, aber durchaus sehr hilfreich.

In einem Urlaub in Südtirol erlebten wir, wie ein Bergbauer den Oberkörper und die Arme in Brennnesseln wendete oder wälzte. Er erklärte uns, dass dies ein uraltes Mittel sei, um Rheuma und ähnliche Krankheiten zu bannen. Allerdings – und da lachte er verschmitzt – sei es nicht jedermanns Sache, da es ungeheuer belebe und man in der Nacht durch die enorme Durchblutung kaum schlafen könne, da der Kreislauf so angeregt sei.

Als Kräuterkissen ist neben Heublumen- und Lavendelkissen auch ein Brennnessel-Farn-Kissen zu empfehlen. Man sammelt im Frühling frische Brennnesseln, trocknet sie sacht im Dörrapparat und sammelt im Frühsommer im Wald Farnkraut, das ebenfalls schonend getrocknet wird. Beides wird in ein Leinensäckchen oder einen Kissenbezug gefüllt, auf der Heizung oder mit einer Wärmflasche erwärmt und auf die schmerzende Stelle gelegt.

Meiden Sie Kälte, schauen Sie, dass Sie immer warm genug angezogen sind. Wer bei einem Schub keine Wärme vertragen kann, kann auf kühlende Wickel ausweichen. Sorgen Sie bei klimatisierten Autos unbedingt, dass Sie nicht direkt der Kaltluft ausgesetzt sind.

Blut reinigende Tees (Brennnessel, Birkenblätter, Hirtentäschel)
Wacholderschnaps oder -öl zum Einreiben: Eine Handvoll Wacholder wird zerstoßen und mit einem halben Liter gutem, kalt gepressten Olivenöl in ein dunkles Glas oder eine Flasche gefüllt. Nach zwei Wochen kann man es bereits verwenden. Es ist nicht notwendig, den Wacholder abzuseihen.

Heiße Tees und *Suppen* zu sich nehmen, damit der Körper richtig schwitzt.

Bei allen rheumatischen Erkrankungsschüben sind Einläufe sehr ratsam, um dem Körper nicht noch zusätzliche Belastung durch Verdauungsgifte zu schaffen.

Nach Pfarrer Kneipp ist das *Rheumahemd* zu empfehlen. Eine Handvoll Heublumen mit einer Handvoll Brennnessel mischen, mit heißem Wasser überbrühen und 10 Minuten schwach köcheln lassen. Das Ganze in eine Schüssel absieben und ein T-Shirt oder Baumwollhemd darin tränken, gut auswringen und anziehen. In eine Wolldecke gehüllt ins Bett legen.

Der *Salzwasser-Kirschschnaps* ist ein uraltes Mittel aus dem Schwarzwald: In 1 Liter Kirschschnaps 10 Esslöffel Salz auflösen. In einer dunklen Flasche aufbewahren. Vor dem Einreiben immer gut schütteln und den ganzen Körper einreiben oder einreiben lassen.

Dinkelmatratzen und *Dinkelkissen,* warm aufgelegt, helfen ebenfalls, die akuten Schmerzen zu lindern.

Warmer *Beinwellbrei* (eine Handvoll Beinwell hacken und mit 1/2 Esslöffel Olivenöl sacht erhitzen, auf die betreffende Stelle streichen, mit einem Handtuch umwickeln und ruhen) oder *Beinwellessenz* sind bei akuten Schüben ebenfalls lindernd. Einreibungen mit *Thymianöl* sind wohltuend und lindernd.

Ebenso *Johanniskrautöl,* das selbst hergestellt werden kann. Man nimmt das Kraut von rotem Johanniskraut (bricht man die Blüten ab, tritt roter Saft aus) – Stängel, Blüten, Blätter. Wichtig ist, dass die Pflanze blüht und vor der Mittagshitze geerntet wird. Das Kraut wird in eine dunkle Flasche gefüllt und mit Olivenöl aufgefüllt. Das Gemisch wird gut verschlossen und vier Wochen lang in die Sonne gestellt. Immer wieder sanft schütteln. In eine dunkle Flasche absieben und gut verschlossen an einem dunklen Ort lagern.

Als *Rheumatees* werden alle möglichen Kräuter angeboten. Grundsätzlich sind alle Blut reinigenden Tees auch Rheumatees, wie z. B. Ehrenpreis, Löwenzahnblätter und -blüten, Schafgarbe, Zinnkraut, Schlüsselblume, Hirtentäschelkraut.

Herz, mein Herz, was soll das geben,
Was bedränget dich so sehr?
Welch ein fremdes neues Leben –
Ich erkenne dich nicht mehr.

Goethe

Das Herz am rechten Fleck …

… sollte besonders geschont und beachtet werden! Es ist bekannt, dass sich jeder, wirklich jeder Herzinfarkt ankündigt, sei es durch Angstzustände, Beklemmungen, Herzschmerzen, Schmerzen im linken Arm, Unruhezustände, fortwährende Müdigkeit, anhaltende Übelkeit. All das kann auf eine Störung des Herzens hinweisen. Wer mit dem Herzen Probleme hat, sollte einen Spezialisten aufsuchen und sich über die verschiedenen Anzeichen genauestens informieren.

Bluthochdruck

Sehr häufig sind die Ärzte nicht in der Lage, eine Diagnose abzugeben, die Sie über die Ursache Ihres hohen Blutdrucks aufklärt. Ihre Untersuchungen bleiben oft erfolglos, da der Grund oft nicht organischer Natur ist. Hier gibt es also viel zum Nachdenken für den Patienten selbst …

Vielleicht hilft ein Heilpraktiker weiter. Gehen Sie auf jeden Fall erst die Ursache an, bevor Sie zu allopathischen Medikamenten greifen!

Ist es der Stress oder eine Stauung, die behoben werden kann? Übergewichtige mit hohem Blutdruck sollten ihr Gewicht reduzieren und vor allem auf leichte Ernährung achten (siehe Literatur). Je weniger der Körper sonst noch zu leisten hat, umso mehr kann er sich dem Hochdruck widmen. Selbstverständlich wirken eine Entschlackung und derlei Maßnahmen positiv gegen den Bluthochdruck. So können die Bluthochdruckwerte im Frühling mit Bärlauch in allen Variationen zum Positiven verändert werden.

Rezept für die bessere Durchblutung und Arterienreinigung:

35 Knoblauchzehen &
10 unbehandelte Zitronen mit Schale klein schneiden
Mit dem Pürierstab einmal durchpürieren, einen Liter Wasser hinzugeben und täglich ein Schnapsgläschen davon trinken.
Durch die Zitrone wird der Knoblauchgeschmack völlig übertönt.

Durch die Arterienreinigung kann das Blut besser fließen und der Blutdruck kann sinken.

Kommt der Bluthochdruck von den Nieren, sollte eine absolut salzarme Kost genossen werden.

Wasser: bei guter Qualität Leitungswasser und Tees.

Hirtentäschel reguliert die Kreislauffunktion, er senkt den hohen und steigert den niederen Blutdruck. Das Hirtentäschelkraut wird mit heißem Wasser überbrüht und der Tee (1 Liter) über den Tag verteilt getrunken. Bei frischem Hirtentäschel: 4 – 5 Stängel; getrocknet: 3 Teelöffel.

Die Mistel hat die gleiche Wirkung. Sie unterstützt die Herztätigkeit und reguliert den Kreislauf. Vom getrockneten Mistelkraut nimmt man 1 Teelöffel und setzt es über Nacht mit 2 Tassen kaltem Wasser an, am Morgen wird der Tee abgegossen und nur erwärmt.

Entspannende Fußbäder und Bäder sind ebenfalls zu empfehlen, allerdings nur wenn man das warme Wasser vertragen kann. 37 bis 37,5 °C Badetemperatur sollten nicht überschritten werden.

Bei Bluthochdruck, der von den Nieren herrührt, gilt es, die Niere zu entstauen. Ein Bärlappsäckchen, das die Nierentätigkeit reguliert, oder ein Lavendelöl-Wickel, auf die Nieren gelegt, beruhigt Herz und Nieren zugleich.

Tritt der Bluthochdruck bei Frauen während oder nach den Wechseljahren auf, sollte gynäkologisch abgeklärt werden, wo die Stauung liegt (siehe Literatur).

Herzrasen

Beruhigend kann fürs Erste ein Aurum-Lavendel-Salbenlappen sein (von Weleda) oder eine mit Arnikaessenz getränkte Kompresse, angewärmt auf die Herzgegend. Allerdings nur handwarm, nicht zu heiß. Weißdorntee beruhigt aufgeregte Herzen. Den Arzt benachrichtigen!

Nach Hildegard von Bingen ist der folgende *Herzwein* aus Petersilie und Honig gemischt:
1 Bund Petersilie (ca.10 Stiel, am besten aus dem eigenen Garten) wird in einen Liter guten Wein (Bio oder Demeter) gegeben, mit 2 EL Weinessig aufgekocht und 10 Minuten auf kleiner Flamme geköchelt. Dann werden 300g Honig darunter gerührt und nochmals aufgekocht. Unter Rühren 4 Minuten kochen. Alles absieben und in gespülte Flasche füllen.

Zu niederer Blutdruck

Hirtentäschel und Mistel (siehe oben), alles was den Kreislauf anregt, Treppensteigen, Laufen, Wandern. Eisengehalt im Blut messen lassen, denn zu niedere Eisenwerte machen müde und schlapp.

Wechselduschen bringen den Kreislauf in Schwung, ebenso Bürstenmassagen. Hierbei am linken Arm herzwärts beginnen, dann über den Schulter-Brust-Bereich und Bauch, dann rechter Arm herzwärts, Brustbereich, Bauch, linker Fuß und linkes Bein nach oben, dann rechter Fuß und rechtes Bein nach oben.

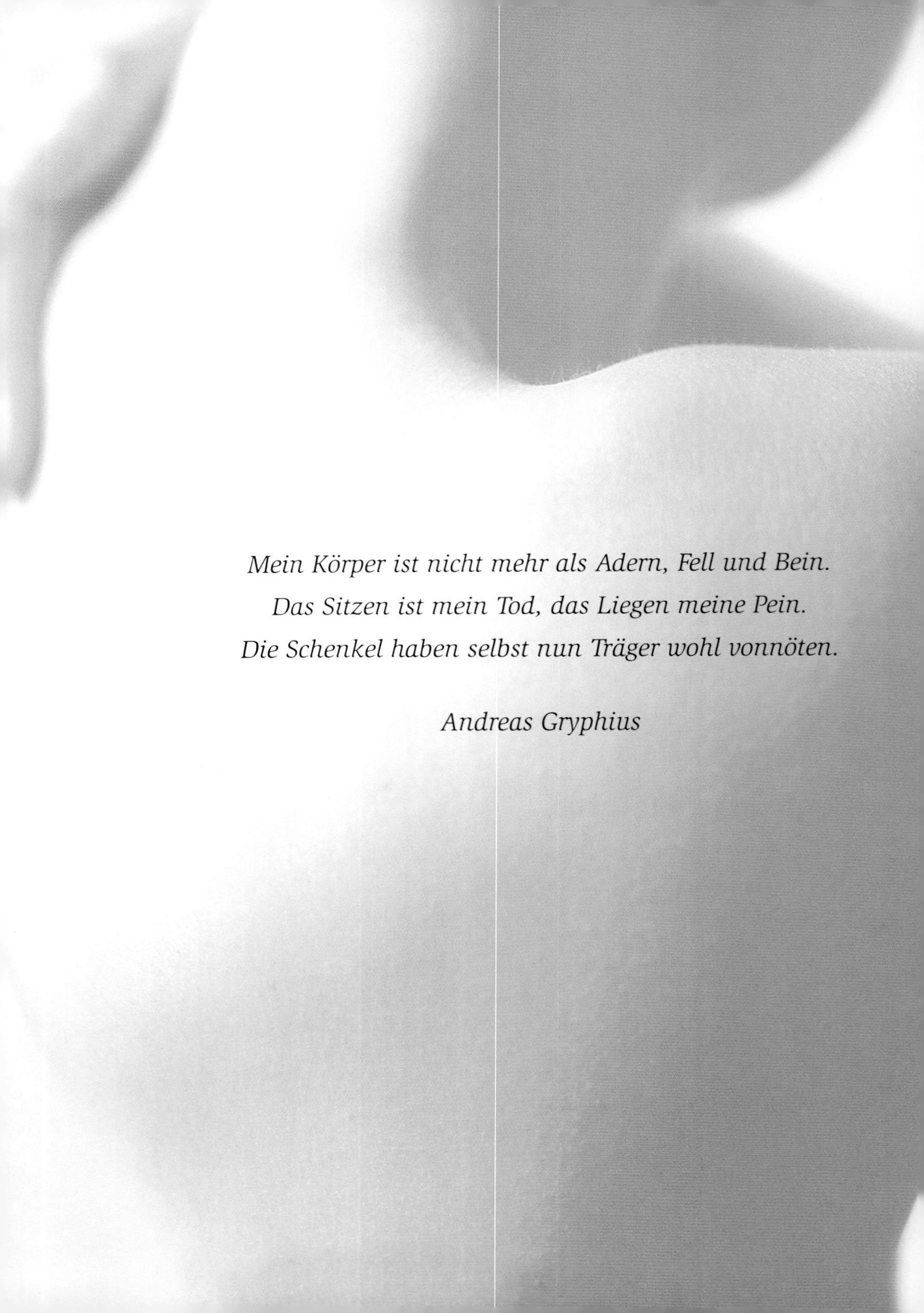

Mein Körper ist nicht mehr als Adern, Fell und Bein.
Das Sitzen ist mein Tod, das Liegen meine Pein.
Die Schenkel haben selbst nun Träger wohl vonnöten.

Andreas Gryphius

Der Hexenschuss und andere unliebsame Kreuz- und Rückenschmerzen

Ein Hexenschuss wird in der Regel durch falsche Bewegungen beim Heben, Drehen oder Bücken ausgelöst. Man verspürt einen stechenden Schmerz im Kreuz und kann sich im schlimmsten Fall gar nicht mehr bewegen. Stress und falsche Sitzhaltung sind begünstigende Faktoren. Dadurch entstehen – auch wenn es nicht zum Hexenschuss kommt – Verspannungen im Schulter-Nacken-Bereich, die oft sehr schmerzhaft sind.

Alle warmen Anwendungen wie Senfwickel, Ölwickel, Wärmflasche, Entspannungsbäder helfen, den Schmerz zu lindern.

Werden Massagen in Anspruch genommen, sollten Sie darauf achten, dass unter keinen Umständen zu stark massiert werden darf; der Reiz, der durch Druck auf Muskeln und Nerven ausgeübt wird, ist eine zusätzliche Belastung und ruft erneute Schmerzen hervor. Dadurch verspannen Sie an einer anderen Stelle und *ent*spannen nicht. Außerdem besteht die Gefahr einer Nervenentzündung.

Das Gleiche gilt für Thermalbäder. Meiden Sie bei Schmerzen die sinnlose Dauermassage an den Düsen, sie reizt das Gewebe und kann unangenehme Folgen haben. Auch sollten Sie die Badedauer von 20 Minuten nicht überschreiten, denn der Kreislauf wird durch das warme Wasser enorm belastet.

Wählen Sie bei der Massage lieber craniosakrale Massagen oder rhythmische Einreibungen, bei denen Ihr körpereigener Rhythmus aktiviert wird. Das Körpergefühl ist nach einer Einreibung ganz anders, Sie entspannen automatisch, da sich alle Muskelpartien ›neu sortieren‹. Die Lymphtätigkeit wird auf ganz sanfte Weise angeregt und der Körper sanft entwässert.

Sie sollten auch bei allen Verspannungen viel trinken, damit jede Zelle in der Lage ist, die Verspannungen zu lösen. Ebenso sollten Sie nach Massagen und anderen Therapien viel trinken, damit sich das ›Gelöste‹ nicht irgendwo anders festsetzt.

Angewärmte Hirse- und Dinkelkissen unter die Knie oder ins Kreuz legen. Wer auf dem Bauch schläft, sollte sich unter die Füße ein kleines Dinkel- oder Hirsekissen legen, um den Rücken zu entlasten. Auch sind beide Kissen, angewärmt auf den Rücken gelegt, eine Wohltat.

Wer kann, sollte in den Süden fahren und sich immer wieder in den warmen Sand legen.

Frauen haben tendenziell häufig Verspannungen im Schulter-Nacken-Bereich, da sie zu oft die Schultern hoch- und den Kopf einziehen. Sie sollten immer wieder bewusst die Arme hängen lassen und den Rücken straffen.

Männer haben eher in der Lendenwirbel- und Kreuzbeinwirbelsäulengegend ihre Verspannungen. Oft packen Sie sich zu viel auf´s Kreuz – dies geht noch und das geht noch und jenes wird noch erledigt. Hier ist es wie bei der Blase wichtig, durch gezielte Gymnastik die Muskulatur zu stärken und gezielt aufzubauen.

Männer sollten immer wieder bewusst die *Bauch*muskulatur arbeiten lassen (Bauch einziehen). Eine erschlaffte Bauchmuskulatur zieht eine Verspannung der Lendengegend mit sich.

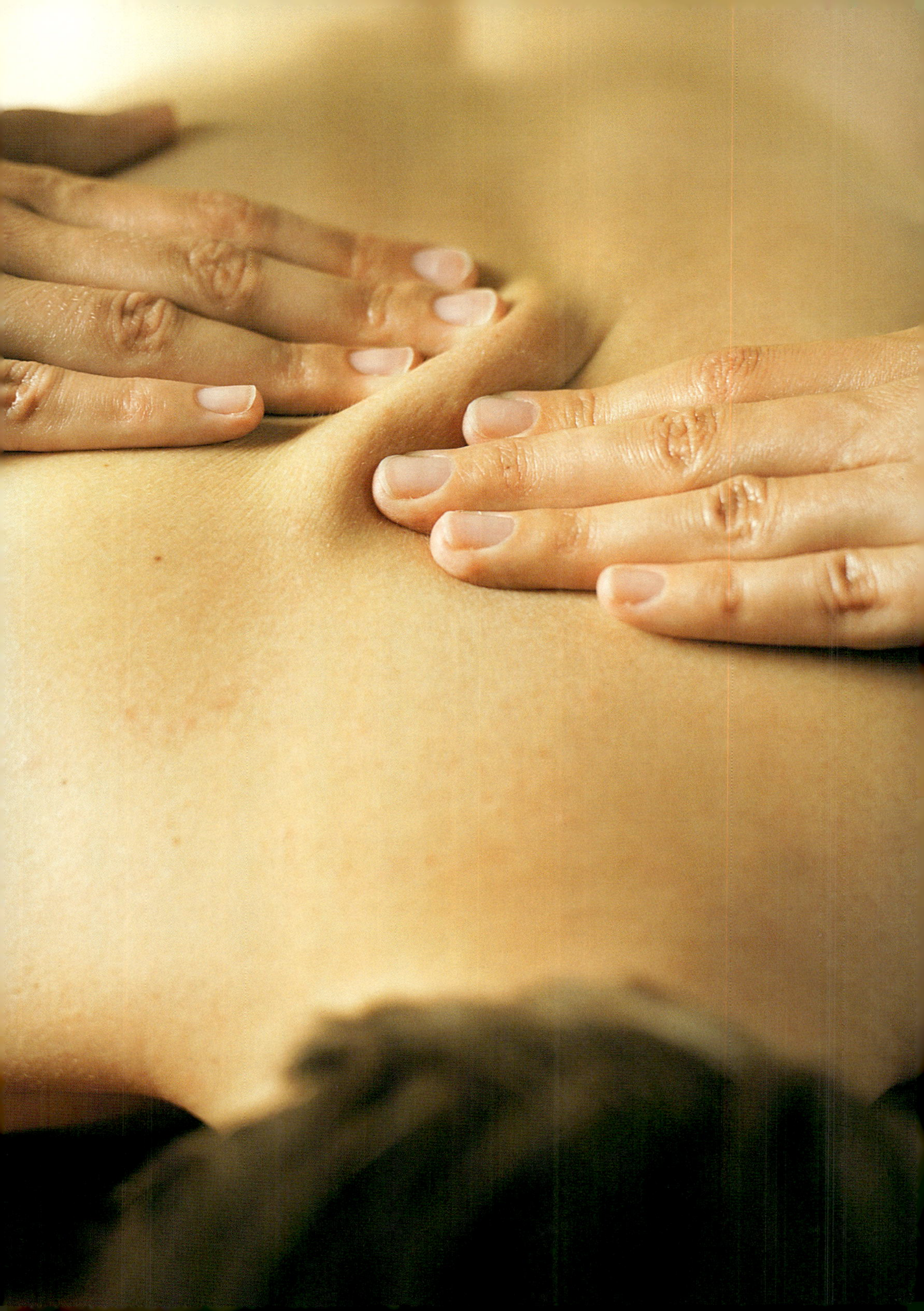

Das Knie

Ein Knie geht einsam durch die Welt.
Es ist ein Knie, sonst nichts!
es ist kein Baum! Es ist kein Zelt!
Es ist ein Knie, sonst nichts …

Christian Morgenstern

Alles rund um die Beine

Wenn jemand seinen Weg geht, steht er »mit beiden Beinen fest auf dem Boden«. Das kann man jedoch nur tun, wenn man seine Beine und Füße auch pflegt. Schließlich tragen sie uns unser Leben lang.

Beine und Füße nach dem Baden und Duschen mit einem Handtuch abrubbeln, bei den Beinen regt das den Kreislauf an, bei den Füßen rücken wir so der Hornhautbildung zu Leibe. Gut und ausgedehnt die Füße eincremen, das tut ihnen und Ihnen gut und macht die Hornhaut besonders an den Fersen geschmeidig und lässt keine Rhagaden entstehen.

Nehmen Sie ab und zu ein Fußbad, nicht nur dann, wenn die Füße kalt sind oder Sie nicht schlafen können – ein Fußbad kann belebend sein oder aber einfach die Beine entspannen. Gehen sie viel barfuß, immer wieder im Sommer, es muss ja nicht gleich ein Stoppelfeld sein, auf dem wir unsere Fußballen spüren wollen – schon das Erleben von Gras oder Erde belebt die Sinne und regt die Durchblutung an.

Viel Treppensteigen beugt Krampfadern vor. Beine nicht übereinander schlagen, sondern mit beiden Beinen auf dem Boden Kontakt suchen und den Rücken entlasten, so werden außerdem die Beinvenen nicht abgeklemmt. Vermeiden Sie zu enge Gummis an den Kniestrümpfen oder Socken.

Verbannen Sie endlich auch Ihre letzten Nylonstrümpfe! Sie schaden nur Ihren Füßen! Seide und Baumwolle sind angenehme Alternativen, die nicht unbedingt weniger elegant sind. Wenn Sie lange sitzen müssen, sorgen Sie für Beinfreiheit und bewegen Sie immer wieder die Beinmuskulatur, bewegen Sie die Zehen zu sich hin, wieder zurück, lassen Sie die Knöchel kreisen.

Bei Venenleiden

Vermeiden Sie alles, was zu warm ist, nehmen Sie keine zu warmen oder zu heißen Bäder oder Fußbäder. Machen Sie sich immer wieder einen Quarkwickel, nicht nur wenn die Venen entzündet sind oder die Thrombose bereits da ist; schon bei kleinen Krampfaderanzeichen immer wieder kühlende Quarkwickel zur Belebung.

Sollten Entzündungen da sein, helfen Quarkwickel, Borretschblätter als Brei aufgelegt oder als Wickel mit Tee aus der ganzen Pflanze. Beim Borretschbrei-Wickel werden die Blätter und Stängel klein geschnitten und zerstoßen oder gewellt, der Brei wird auf ein Tuch gelegt und dieses um die entzündete Stelle gebunden. Beim Borretschteewickel geht man wie bei den anderen feuchten Wickeln vor (siehe Seite 91 ff.).

Die Beine (aufwärts) mit Hauttonikum, *Lotio bruni*, einreiben. Wenn man sich eine Pause gönnt, legen Sie die Beine hoch!

Rhagaden – Einrisse der Hornhaut

Warme Fußbäder nehmen, danach die Füße gut abtrocknen und dick mit Heilsalbe oder Ringelblumensalbe eincremen oder einölen. Am besten macht man es abends und zieht dann über Nacht Baumwollsocken an, damit das Öl oder die Salbe gut einziehen kann. Eine entzündungshemmende Salbe, z. B. Thymian oder Calendula (Weleda) ist auch tagsüber ratsam. Sorgen Sie unbedingt für gutes Schuhwerk und warme Füße! Je besser die Durchblutung, desto besser die Wundheilung. Bei schlimmen Einrissen bieten sich auch Wirsing- oder Kohlwickel an.

Hühneraugen

Sie haben ihren Ursprung oft in zu engem Schuhwerk. Sie lassen sich leicht bei der Fußpflege entfernen. Ansonsten hilft der Saft von Schöllkraut, den man aus der ganzen Pflanze gewinnen kann und auf die Warzen oder Hühneraugen tupft.

Ein weiteres Mittel ist die Hauswurz, eine unkomplizierte Gartenpflanze. Den Saft auf das Hühnerauge tupfen und mit einem Pflaster zukleben; nach ein paar Tagen lässt sich das Hühnerauge in der Regel ablösen. Einen Brei aus Zwiebeln, Salz und Aloesaft bereiten. Es reichen ein paar Tropfen aus einem Blatt, ein kleines Stückchen Zwiebel und ein wenig Salz. Diesen Brei ein paar Tage lang auf das Hühnerauge getupft und ebenfalls mit einem Pflaster verbunden, lässt bald das Hühnerauge so weich werden, dass man es mühelos entfernen kann.

Schweißfüße und riechende Füße

Abends immer ein Fußbad aus Rosmarin, Thymian oder Lavendel machen. Bereiten Sie aus einer Handvoll Kräutern und einem Liter Wasser einen Tee, den sie nach ca. 10 Minuten abseihen. Diesen gießen Sie Ihrem gut warmen Fußbad zu. Baden Sie Ihre Füße ca. 20 Minuten lang. Nach dem Fußbad gut abtrocknen und eventuell mit einem erfrischenden Beinspray (Wala Fitness Beinspray) einsprühen. Sie können auch in einen Zerstäuber 10 ml Wasser und 3 Tropfen ätherisches Öl geben – Pfefferminze, Zitrone, Rosmarin – und schon haben Sie Ihr eigenes Fußspray. Die Füße pudern hilft, da der Puder den Schweiß aufsaugt. Meiden Sie Socken aus Kunstfaser und achten Sie auf gutes Schuhwerk.

Müde Beine

Das oberste Gebot: Füße hoch und erst einmal etwas trinken! Ihr Kreislauf macht die Beine wieder fit, das kann er aber nur, wenn er auch etwas zum Durchbluten hat.

Belebende Fußbäder: Rosmarin, Zitrone, Pfefferminze, Kampfer, Fichtennadel oder Latschenkiefer, Kastanienfußbäder (Rosskastanie aufschneiden und mit heißem Wasser überbrühen, den Sud mitsamt den Kastanien in die Fußbadewanne und auf die richtige Temperatur herabkühlen).
Wer nach einer Wanderung müde Beine hat, kann sich eine Zitronenscheibe in eine Fußbadewanne geben und mit warmem Wasser auffüllen, die Beine 10 Minuten baden und unabgetrocknet ins Bett gehen.
Bei Blasen an den Füßen nach Wanderungen helfen Spitzwegerichblätter als Pflaster aufgelegt.
Wer viel wandert, sollte Farnkraut in die Schuhe legen.

Offene Beine

Spitz- oder Breitwegerichblätter waschen und auf die offene Stelle am Bein legen oder festbinden. Ca. 20 bis 30 Minuten aufliegen lassen und dann wieder abnehmen.

Kohlwickel sind bei offenen Beinen ein uraltes Heilmittel, dessen Wirkung von keinem allopathischen Mittel je erreicht wurde! (Siehe Kohlwickel Seite 107).

Absolut wichtig sind immer gute Schuhe! Ledersohlen und Oberleder am Schuh, niedrige Absätze – und bequem sollten sie sein.

Ein Wirsingstück, so groß wie die Wunde und die darumliegende Entzündung – auf keinen Fall größer! – auflegen.

Nagelbettentzündungen, eingewachsene Nägel

Unbedingt regelmäßig Fußbäder mit Kernseife machen, über Nacht Ringelblumensalbe darauf und am nächsten Tag wieder Fußbäder. Nicht jeder Nagel muss gleich operiert werden.

Wenn einmal die Haut an einem Nagel zu weit eingerissen ist und sich die Stelle entzündet, helfen ebenfalls reichlich Fußbäder. Das eventuell wild wachsende Fleisch können Sie mit Höllstein verätzen. Tragen Sie keine zu engen Schuhe, damit Sie nicht bei jedem Schritt so starke Schmerzen haben. Sorgen Sie dafür, dass die Entzündung abklingt. Sehr angenehm sind Fußbäder mit Thymian.

Wassereinlagerungen in den Beinen (Ödeme)

Im Sommer sind oft die Beine schwer und dick, da der Körper zu viel Wasser speichert. Unbedingt den Salzkonsum regulieren und reduzieren, schauen Sie auch auf Ihr Mineralwasser. Abgesehen davon essen Sie ausreichend: Erdbeeren, Gurken, Spargel, Brennnesselgemüse, Brennnesselsuppe, denn diese Lebensmittel entwässern sanft und ohne auszuschwemmen.

Ein Reistag mit ganz schwach gesalzenem, aber mit frischen Kräutern gewürztem Reis lässt das Wasser austreten.

Um die Knöchel Quarkwickel – kühlt schön und sorgt für die Durchblutung. Das Wasser wird so abtransportiert.

Massieren Sie Ihre Fußknöchel mit einem guten Öl und streichen Sie immer zu den Zehen hin aus.

Der Schnupfen

Ein Schnupfen hockt auf der Terrasse,
auf dass er sich ein Opfer fasse

– und stürzt alsbald mit großem Grimm
auf einen Menschen namens Schrimm.

Paul Schrimm erwidert prompt: Pitschü!
und hat ihn drauf bis Montag früh.

Christian Morgenstern

Rund um die Erkältung

Eukalyptus, Thymian und Pfefferminze gehören zum gängigen Heilkräutersortiment gegen Schnupfen. Spitzwegerich, Veilchen, Zitrone, Efeu, Melisse, Rettich, Zwiebel, Isländisch Moos, Holunderblüten, Meerrettich sind ebenfalls stets erfolgreich im Kampf gegen die Erkältung und auch nur ein kleiner Ausschnitt dessen, was uns die Natur bietet.

Bei Schnupfen

Salzwasserlösung oder Rhinodoron von Weleda (als Nasenspray mit Auszügen von Aloe und Meersalzwasser) pflegen die Nasenschleimhäute und bringen den Schnupfen zum Laufen.

Alle Arten von Tees, heiß getrunken und mit Holunderblüten-Sirup versehen. Viel, viel trinken und scharf gewürzt essen, damit sich der Schleim löst und abfließen kann, anstatt sich festzusetzen.

Abends die Haut um die Nasenlöcher gut und dick mit Calendula-Creme eincremen. Das hält die Nasenschleimhäute feucht und pflegt die vom Naseputzen strapazierte Nase. Naseputzen auf ein Minimum reduzieren, je mehr man schnäuzt, umso mehr wird die Schleimproduktion angeregt.

Machen Sie Dampf!

Thymian, Pfefferminze, Melisse, Zitrone, Eukalyptus, als Tee für einen Dampf oder als ätherisches Öl dem Dampfwasser zugesetzt, löst den Schnupfen und lässt ihn ebenfalls nicht festsitzen.

Die Brust mit Plantago oder Thymianöl einreiben und über Nacht einwirken lassen. Das garantiert am Morgen eine freie Nase.

Mit Lavendel, Thymian, Zitrone oder Eukalyptus einen Ölwickel bereiten und über Nacht einwirken lassen.

Bei Husten und Bronchitis

Auch hier sind Ölwickel und Tees gefragt. Unbedingt viel trinken, damit sich der Schleim lösen kann.

Es empfiehlt sich bei den Ölwickeln tagsüber Eukalyptus und Thymian zu verwenden, damit sich der Schleim lösen kann. Abends dagegen sind die beruhigenderen Arten wie Melisse, Lavendel und Rose zu bevorzugen.

Eine heiße Honig-Zitrone mit gutem Imkerhonig oder ein TL Honig pur vor dem Schlafengehen beruhigt den starken Hustenreiz.

Schmalz- und Quarkwickel sind ebenfalls alte Hausrezepte gegen hartnäckigen Husten. Der Quarkwickel sollte angewärmt werden.

Senfwickel sind durchblutungsfördernd und verhindern ein Festsitzen des Schleimes in den feinen Bronchien und Lungenspitzen.

Warme und heiße Fußbäder sind bei Schnupfen wie auch bei Husten und Bronchitis zu empfehlen, ebenso Senffußbäder (siehe *Das natürliche Wohlfühlbuch*).

Man sollte alles tun, damit sich der Schleim nirgends festsetzt. Vor allem Achtung bei Nebenhöhlenvereiterungen! Sind sie da, helfen scharfes Essen und Meerrettichwickel. Die Stirn warm halten und regelmäßig eincremen, im Winter nicht ohne Stirnband aus dem Haus gehen. Beugen Sie vor und vermeiden Sie Antibiotika-Gaben. Rotlicht und Kartoffelwickel auf Stirn und Wangen, ebenfalls Rhinodoron.

Veilchensirup

2 Tassen Veilchenblüten werden mit 1/4 l gut heißem, aber nicht mehr kochendem Wasser übergossen. Diesen Sud einen Tag stehen lassen. Wer mag, kann diesen Sud abseihen und aufkochen und eine weitere Tasse Blüten damit überbrühen. Wer nicht so viele Veilchenblüten hat, verrührt den ersten Sud mit der gleichen Menge Honig und kocht ihn einmal auf. Drei- bis viermal täglich einen Teelöffel zu sich nehmen. Dies löst den Schleim und lindert den Hustenreiz. Ebenso Spitzwegerich-Sirup.

Ein Erkältungsmittel ist der *Zwiebel-Zucker* oder *Zwiebel-Honig*. Ein Stück Zwiebel klein schneiden, etwas Kandis oder Honig darüber geben und vermengen. Einen halben Tag stehen lassen und immer wieder kleine Mengen des entstandenen Saftes zu sich nehmen. Man kann den Zwiebelkandis auch warm zubereiten: Dazu eine Zwiebel klein schneiden, mit 1 bis 2 TL Kandis vermengen und mit 2 TL Wasser zu einem dicken Brei kochen. Alle zwei Stunden einen halben Teelöffel vom Brei einnehmen.

Wer größere Mengen Zwiebel-Honig zubereiten möchte, kann

sich Zwiebelscheiben und Honig abwechselnd in ein Glas schichten. Zugedeckt über Nacht stehen lassen und dann von dem entstandenen Saft alle 1 bis 2 Stunden einen Tee- oder Esslöffel zu sich nehmen, je nach Stärke der Bronchitis.

Spitzwegerich-Sirup

(hilfreich bei allen Erkältungen und Bronchitiden)
400 g gewaschene und abgetropfte Spitzwegerichblätter werden durch den Fleischwolf gedreht. Mit 300 g Rohrzucker und 250 g Bienenhonig sowie 5 EL Wasser wird der Spitzwegerichbrei unter ständigem Rühren zu einem dicklichen Sirup eingekocht. Der Sirup wird heiß in Gläser gefüllt und im Kühlschrank aufbewahrt. In alle Tees kommt nun ein Teelöffel des Sirups. Er löst den Schleim und pflegt die Bronchien.

Variation 2 für Geduldige:

Gewaschene Spitzwegerichblätter abwechselnd mit Rohrzucker in ein Einweckglas schichten, bis es ganz voll ist (gut zusammendrücken und pressen). An einen warmen Ort (Herd oder in die Sonne) stellen. An den nächsten Tagen immer wieder neue Schichten hineinschichten, die Masse setzt sich. So lange schichten, bis das Glas ganz voll ist. Mit Butterbrotpapier und Gummi verschließen. So lange am warmen Platz stehen lassen, bis sich der Sirup unten absetzt. Das Ganze durch eine Saftpresse gießen und einmal aufkochen. Dann in Gläser füllen und verschließen.

Eine Freude vertreibt
hundert Sorgen

Japanische Weisheit

Blasenleiden

In Deutschland leiden 25 % aller Menschen über 50 an Blasenleiden, das in mehreren Formen auftreten kann. Sie werden durch eine Schwächung der Beckenbodenmuskulatur verursacht und sind für die Betroffenen sehr unangenehm.

Blasenschwäche und -entzündungen

Oft hervorgerufen durch unzureichende Rückbildungs- oder Beckenboden-Gymnastik nach der Entbindung. Auch im Alter hilft hier noch gezielte Beckenboden-Gymnastik, außerdem Wärme und Teezubereitungen aus folgenden Tees: Schachtelhalm, Hirtentäschelkraut, Schafgarbe sowie Sitzbäder aus Eichenrinden-Essenz und Hirtentäschelkraut.

Häufig wiederkehrende *Blasenentzündungen* können mehrere Ursachen haben:

Das erschwerte und schmerzhafte Loslassen von Situationen spiegelt sich oft in einer Blasenentzündung wider, ebenso hinuntergeschluckter und nicht weggespülter Ärger oder Enttäuschung. Hier helfen in akutem Zustand alle krampflösenden Maßnahmen. Viel trinken und eher salzarm und nicht zu scharfe Speisen essen. Warme oder feuchtheiße Umschläge mit Schachtelhalmtee, warme Lavendelöl-Wickel, Bienenwachs-Kompressen auf die Blasenregion, Sitzbäder mit Schachtelhalm oder Eichenrinde, ebenso mit Hirtentäschel und Bärlapptee. Eichenrinde gibt es als Essenz und wird ins Sitzbadewasser gegeben.

Oft hilft warmes Bedampfen mit Schachtelhalmtee. Dazu wird Schachtelhalm in kochendes Wasser gegeben, man lässt das Gebräu einmal kurz aufwallen, nimmt den Topf vom Herd und gießt das Ganze in eine (alte) Schüssel. Am besten stellt man diese nun in die Toilette und setzt sich auf die Klobrille. So dringt der Dampf von unten an den empfindlichen Blasenbereich, und man muss keine Angst haben, dass man sich Verbrennungen zuzieht; außerdem sitzt man relativ entspannt.

Wer nach einer Operation einen Blasenkatheter haben musste, sollte unbedingt darauf drängen, dass nach der Operation viele Infusionen gegeben werden, damit die Blase gleich gut durchgespült wird und somit Operationsmedikamente ausgeschwemmt werden können. Drängen Sie auf möglichst rasches Entfernen – je eher desto besser –, auch wenn jetzt das Wasserlassen eine besonders unangenehme Sache ist. Trinken sie viel und machen Sie wohltuende warme Sitzbäder, um den irritierten Blaseneingang wieder zu beruhigen.

Hierzu nehmen Sie am besten Schachtelhalmtee, Ringelblume und Frauenmantel. Eine Mischung aus folgenden Kräutern lindert, beruhigt und pflegt: 2 TL Lavendelblüten, 1 EL Melissenblätter oder 2 frische Stiele werden mit 1 l heißem Wasser überbrüht und 20 Minuten stehen gelassen. Dazu kommt ein Sud aus 2 Handvoll Himbeerblättern, die in 1 l kochendes Wasser gegeben werden und bei schwacher Hitze 5 Minuten ziehen sollen. Dieser Sud kommt ebenfalls in das Sitzbad, zu dem noch 1 EL Honig gegeben wird. Das Sitzbadewasser auf 37 – 38 °C temperieren und ca. 20 Minuten entspannt sitzbaden.

Gut bei Blasenentzündungen sind auch Kartoffelwickel auf den Unterbauch. Die lang anhaltende Wärme tut der Blase gut, außerdem hat der Kartoffelwickel eine harntreibende Wirkung, welche die Gesundung zusätzlich unterstützt. Auch vorbeugend zur Unterstützung der Blasen- und Nierengegend sind Kartoffelwickel gut.

Heiße Schachtelhalm-Kräuterwickel um den Nieren- und Blasenbereich lindern und beruhigen die Schmerzen. Der feucht-heiße Kräuterwickel hält die Wärme lang, und der Schachtelhalm kann so noch intensiver als beim feucht-heißen Teewickel wirken.

Ebenfalls entspannende Wirkung wird erzielt, wenn Sie sich auf eine warme Wärmflasche setzen.

Hinweis: Eukalyptuswickel ist eine bekannte Maßnahme bei akuter Blasenentzündung. Ich habe vermehrt die Erfahrung gemacht, dass er im Gegensatz zum Lavendelölwickel noch zusätzlich reizen kann.

Der Sitz der Seele ist da,
wo sich Innenwelt und Außenwelt berühren.
Wo sie sich durchdringen,
ist er in jedem Punkte der Durchdringung.
Novalis

Die Haut und ihre Pflege

Die Haut hat viele Funktionen: Sie bildet Hülle und Schutz für die darunter liegenden Gewebe und Organe, sie atmet ein und aus, entschlackt, schwitzt – und über sie nehmen wir unsere Umwelt wahr.

Stress, Müdigkeit, Vergiftungen, Sauerstoffmangel und vieles mehr kann man an ihr ablesen. Gerade die nicht mehr junge Haut bedarf der Pflege, denn sie braucht in höherem Maße Feuchtigkeit. Deshalb ist das Trinken für die gesamte Haut von enormer Bedeutung, denn nicht nur im Gesicht kann man Flüssigkeitsmangel erkennen. Wenn ausreichend getrunken wird, freut sich Ihr gesamter Körper.

Tees und Pflanzen, die innerlich und äußerlich für die Haut gut sind:

Stiefmütterchen: Eine Handvoll mit 1 l Wasser aufgießen und ins Badewasser geben (10 Minuten ziehen lassen).
Gänseblümchen: Blüte und Blattrosette werden als Tee verwendet; Salat, klein geschnitten aufs Brot.
Brennnessel in allen Formen.
Aloe Vera innerlich und äußerlich.
Kapuzinerkresse-Blätter klein schneiden und auf Pickel und Hautunreinheiten geben.
Wie im Kapitel über Entschlackung beschrieben, wirkt sich alles, was den Darm reinigt, positiv auf unsere Haut aus, denn über sie werden viele Schadstoffe abgegeben.

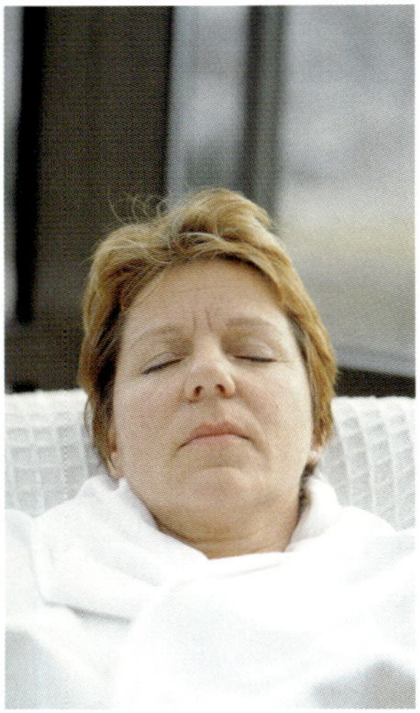

Altersflecken verschwinden ganz oder reduzieren sich zumindest und werden blasser, wenn der Körper richtig gereinigt wird: Eine Mischung aus 2 TL Stiefmütterchentee, 2 TL Malvenblüten, 3 TL Gänseblümchen (ganzes Kraut, getrocknet). Auf 1 Liter Wasser (mit kochendem Wasser überbrühen und 10 Minuten ziehen lassen, absieben) über den Tag verteilt trinken, die erste Tasse nüchtern. Er reinigt die Haut und verleiht ihr neuen Glanz. Mit dieser Mischung kann die Haut auch abgetupft werden.
Gurkenscheiben lassen Altersflecken und Sommersprossen blasser werden und spenden Feuchtigkeit!
Die Hautoberfläche ist von einem so genannten Hydrolipidfilm überzogen, dessen flüssige Bestandteile leicht säuerlich sind. Dies ist der Säureschutzmantel der Haut; er hat einen pH-Wert von 4,5 bis 6,9, der gesunde Mittelwert befindet sich bei 5,4 bis 5,9. Im Alter sinken die Werte wieder auf die des Kleinkindes herab, sie liegen dann bei 4,5 bis 4,9.

Es ist enorm wichtig, den Säureschutzmantel nicht zu zerstören. Dies geschieht oft durch allopathische Medikamente oder durch übermäßige Seifenbäder und Seifenwaschungen.

Der pH-Wert ist lebensnotwendig, weil sich zum einen viele Keime und Bakterien in seinem Milieu nicht wohlfühlen und zerstört werden, und zum anderen, weil sich auf der Haut wichtige Keime aufhalten, deren Ausscheidungen krank machende Fremdkeime zerstören. Außerdem kann der Säureschutzmantel wie ein Puffer wirken; er kann geringfügige Veränderungen, die durch Säuren oder Laugen hervorgerufen werden, auffangen und nach kurzer Zeit den Normalzustand wieder herstellen.

Bei der Verwendung von Körpercremes und Lotionen darauf achten, dass sie dem pH-Wert der Haut angepasst sind. Gerade im Alter, wenn sich der Säureschutzmantel natürlich verändert, sollte doppelt darauf geachtet werden, dass die richtigen Pflegeprodukte verwendet werden.

Müde und abgespannte Haut mit natürlichen Mitteln wieder zum Strahlen bringen

Unsere Haut hat unterschiedliche Bedürfnisse. Sie kann fettig und eher großporig sein, sie kann fettig und trocken oder nur trocken sein. Deshalb ist es wichtig, dass sie die richtige Pflege bekommt, gereinigt und mit der für ihr Alter entsprechenden Creme versorgt wird.

Viel Flüssigkeit macht die Haut rosig und der Teint strahlt. Kurze Sonnenbäder und viel frische Luft fördern die Durchblutung und lassen die Haut gesund aussehen. Es erübrigt sich zu sagen, dass Rauchen und zu viel Alkohol dem Aussehen eher schaden; Raucherhaut kann nicht mehr genügend Sauerstoff aufnehmen, sie wirkt grau und fahl und macht ein ungesundes Aussehen.

Abends ist das Abschminken ein Muss, da sich Makeup-Reste mit der Schminke, dem Nachtschweiß und den natürlichen Bakterien auf der Haut zu einem gefährlichen Gemisch verbinden, das den wichtigen Säureschutzmantel der Haut zerstört und Entzündungen somit Platz finden. Außerdem kann die Haut sich so nachts nicht regenerieren und wirkt müde.

Wer kein Makeup benutzt, sollte abends trotzdem das Gesicht reinigen und eincremen.

Mein persönlicher Vorschlag für ein Peeling:
1 Esslöffel gemahlenen Leinsamen mit 2 EL Wasser quellen lassen, 1 EL Mandelkleie und 2 TL Jogurt darunter mischen. Den Brei großzügig auf dem Gesicht und Dekolleté verteilen. Nach 10 Minuten Einwirkungszeit mit lauwarmem Wasser abwaschen.

Alle zwei bis drei Wochen sollte man der Haut ein Peeling gönnen, hierbei werden abgestorbene Hautschüppchen und Zellen von der Oberfläche entfernt, die Haut wird wieder glatt und seidig, und die Tagespflege kann wieder ausreichend von den Hautzellen aufgenommen werden. Es ist nicht ratsam, wöchentlich oder noch öfter ein Peeling zu verwenden, da die abgestorbenen Zellen 28 bis 30 Tage brauchen, um an die Oberfläche zu gelangen. Außerdem wird durch vermehrtes Peeling der natürliche UV-Schutz der Haut zerstört, somit ist gerade im Sommer die Gefahr des Sonnenbrandes im Gesicht geradezu programmiert.
Heilerde oder Lehmpaste kann auch für den ganzen Körper als Peeling verwendet werden. 1 EL Heilerde mit 2 EL warmem Wasser verrühren, 1 EL Quark dazu und 1 TL in etwas heißem Wasser gelösten Honig dazu geben, auf das Gesicht auftragen, 10 Minuten einwirken lassen und mit lauwarmem Wasser abwaschen.

Meersand ist eines der ältesten und natürlichsten Peelings. Schon Cleopatra verwendete Meersand und ätherische Öle, um ihre Haut geschmeidig und weich zu halten – der Erfolg stand ihr ins Gesicht geschrieben!

Beruhigende Tees für die Gesichtspflege

Als Dampf:
Schwarztee
Stiefmütterchentee
Kapuzinerkresse (Blüten und Blätter)
Thymian
Grüner Tee
Melissentee

Feuchtigkeitsspendende Masken

Die einfachste und preiswerteste Lösung sind immer noch Gurken- oder Wassermelonenscheiben, auch die Schale von Wassermelonen (das hellgrüne Fleisch) enthält viel Feuchtigkeit und kann in Stücken auf die Haut aufgelegt werden.

Eine Hand voll Blätter und Blüten von Kapuzinerkresse wird klein gehackt, 2 TL Aloe Vera-Frischsaft oder Aleo Vera-Gel darunter mengen und mit 1 TL Sahne verrühren. Den Brei auf das Gesicht und Dekolleté auftragen und 20 Minuten einwirken lassen. Mit lauwarmem Wasser abwaschen. Frischer Aloe Vera-Saft pur schmeichelt der Haut und pflegt sie wunderbar; er verleiht der Haut Spannkraft und gibt ihr Feuchtigkeit.

Wer eine besondere Maske auflegen möchte, nimmt 3 EL Avocado, 1 TL Olivenöl, 2 EL klein geschnittene Melissenblätter, 1 TL Rosenwasser. Mit einer Gabel die Avocado cremig rühren und alles vermengen. Den Brei auf das Gesicht auftragen, gut einmassieren, 15 Minuten einwirken lassen und mit lauwarmem Wasser abwaschen.

Nach allen Masken die normale Tagespflege auftragen. Massieren Sie diese gut ein, das durchblutet und entspannt die Haut.

Sonnenbäder tun der Psyche und dem Stoffwechselhaushalt gut und sie dienen dem Wohlbefinden. Um allerdings der Haut keinen Schaden zuzufügen, sollte man Maß halten.

Wichtig, um die Haut gesund zu halten, ist: Zum Sonnenbaden immer ausreichend Sonnencreme mit hohem Lichtschutzfaktor verwenden. Jeder Sonnenbrand zerstört Hautzellen und steigert die Gefahr von Hautkrebs. Halbschatten-Sonnenbäder bräunen zwar langsamer, dafür aber anhaltender. Die Dauer des Sonnenbades lässt sich nicht durch erneutes Auftragen von Sonnencreme verlängern. Auch wird der Schutz herabgesetzt, wenn man ins Wasser geht oder stark schwitzt.

Glocken und Zyanen,
Thymian und Mohn.
Ach, ein fernes Ahnen
hat das Herz davon.

Josef Weinheber

Heilkräuter

Noch vor nicht allzu langer Zeit waren die Heilkräuter und deren Wirkung überall bekannt und wurden zum Wohlbefinden und im Kampf gegen Krankheiten eingesetzt. Mit zunehmender Entwicklung der Pharmakonzerne und der kontinuierlichen Forschungen in der Medizin wurden Medikamente geschaffen, die, wie es schien, gut halfen und schnell und stark wirkten – kein Schmerz musste mehr ausgehalten, kein Fieber zu lange auskuriert werden. Man war schnell ›wieder hergestellt‹.

So verloren die Heilpflanzen ihre Bedeutung, zumal die allopathischen Medikamente bald als Statussymbol für Wohlstand galten. Statt sich mit herkömmlichen Mitteln zu begnügen, hatte man die Möglichkeit, mit ›besseren‹ Mitteln schneller gesund zu werden.

Man beachtete allerdings einige Faktoren nicht, und das wirft uns heute im Gesundheitswesen um Jahre zurück, denn es scheint, dass der Fortschritt eher ein Rückschritt war. So wurde zum Beispiel nicht beachtet, dass Krankheiten zum Leben gehören wie der Schatten zum Sonnenlicht, wie der Winter zu den Jahreszeiten. Eine Krankheit ist die natürliche Reaktion des Körpers darauf, dass irgendetwas aus dem Gleichgewicht geraten ist.

Das heißt, man sollte lernen, auf die Ursache zu sehen und nicht auf die Symptome – was in der anthroposophischen und homöopathischen Medizin seit Jahrzehnten praktiziert wird.

Zum Zweiten wurden durch die allopathischen Medikamente Unmengen von neuen Krankheiten erst geschaffen. Allein durch die unsachgemäße Gabe von Antibiotika gibt es zum Teil mehr Infektionskrankheiten als noch vor Jahren. Mit anderen Medikamenten wurden durch Nebenwirkungen derart viele neue Krankheiten erzeugt, dass spätestens jetzt ein Umdenken stattfinden *muss*. Wer sich selbst wahrnimmt, wird die Sprache seines Körpers kennen oder sie zumindest schnell kennen lernen können.

Der Körper reagiert immer – bei Stress, Ängsten, Trauer, falscher Ernährung. Hierbei kann ein Heilpraktiker (oder Kinesiologe) helfen, denn er zeigt, wie wir die Sprache des Körpers verstehen können.

Die Intuition ist eine solche Sprache, wir fühlen uns von etwas angezogen oder abgestoßen, wir finden jemanden sympathisch oder unsympathisch, jemand sagt etwas, wir haben aber das Gefühl, er meint etwas ganz anderes. Dies alles gehört zur Sprache des Körpers. Hören Sie hin – Sie glauben nicht, wie spannend es ist, den Körper zu verstehen!

Die Heilkräuter unterstützen uns auf natürliche Weise, unser Gleichgewicht wiederzufinden. Wickel und Kompressen tun nicht nur an kranken Tagen gut, Kräuterdüfte beleben die Sinne, beruhigen und steigern das Wohlbefinden. Viele Heilkräuter sind auch als Speisen durchaus fein, und man kann sich auf leckere Weise gesund halten.

Blüten sind Licht- und Wärmespender, da sie der Sonne am nächsten sind. Um die wirksamen und empfindlichen Substanzen nicht zu zerstören, werden sie nur mit heißem (nicht mehr kochendem) Wasser überbrüht. Man lässt sie 1 bis 3 Minuten ziehen und siebt sie dann ab.
Blätter mit ätherischen Ölen (Melisse, Minze) kann man mit kochendem Wasser überbrühen, 2 bis 3 Minuten ziehen lassen, dann abseihen, nicht kochen!
Stängel und Blätter, die fest und hart sind, werden in kochendes Wasser gegeben, 1 bis 2 Minuten aufgekocht, dann abgesiebt.
Wurzeln und Rinden werden kalt aufgesetzt, zugedeckt 5 bis 10 Minuten ausgekocht, dann abgesiebt.

Beinwell (*Symphytum*)

Verwendet wird das ganze Kraut samt Wurzel.
Wirkung: Beruhigend auf die Schleimhäute, anregend für Neubildung von Knochen- und Knorpelgewebe.
Innerlich: bei Magengeschwüren, Schleimhautdefekten, Dickdarmentzündungen, Bronchitis.
Äußerlich: zur Heilung von Knochenbrüchen und Verstauchungen, Zerrungen und Verrenkungen.
Anwendung: Abkochung, Tee: 2 TL auf 1 Liter mit heißem Wasser überbrühen.
Als Wickel auch 3 TL auf 1/2 Liter.

Brennnessel (*Urtica dioica*)

Verwendet wird das ganze Kraut.
Wirkung: Kreislaufanregend, gegen entzündliche Prozesse an der Haut, entschlackend, blutreinigend, bringt als Salbe oder Essenz bei Verbrennungen sofortige Linderung, ebenso als Gel bei Sonnenbrand. Hervorragend im Frühling als Frühjahrskur (als Suppe, Tee oder Gemüse). Bei rheumatischen Beschwerden.
Anwendung: Aufguss, Abkochung, Presssaft, Salat.
Tee: Auf 1 l werden 3 TL gegeben, nur mit heißem Wasser überbrühen.

Bärlapp (*Lycopodium clavatum*)

Verwendet wird die ganze Pflanze. Steht unter Naturschutz.
Wirkung: Gut bei Harnwegsverkrampfungen, auch sonst bei allen Arten von Krämpfen.
Anwendung: Oft reicht das Auflegen eines Bärlapp-Kissens mit getrocknetem Bärlapp.
Tee aus der Apotheke, 1 TL auf 1/2 l überbrühen, 5 Minuten ziehen lassen, absieben.

Bärlauch (*Allium ursinum*)
Verwendet werden die Blätter.
Wirkung: Regt die Blutreinigung an, Hautkrankheiten werden dadurch enorm verbessert. Hilft bei Arterienverkalkung, regt auf gesunde Art die Darmtätigkeit an.
Zubereitung: Frisch aufs Brot oder als frisches Kraut zu allen Speisen und in Suppen. Man kann es fein geschnitten in Olivenöl geben und kühl lagern wie ein Pesto.

Eisenhut, blauer *(Aconitum napellus)*
Verwendet werden im Herbst gesammelte, getrocknete Wurzeln, um daraus Medizin und Öl herzustellen.
Wirkung: Beruhigend, schmerzlindernd, als Öl hilfreich bei Nervenschmerzen, z. B. Ischias oder Hexenschuss.
Anwendung: In der Homöopathie bei Grippe, Masern, Pseudokrupp als Tropfen oder Öl.
Besonderheit: *Pflanze ist sehr giftig! Nur als Medizin verwenden!*

Fenchel (*Foeniculum vulgare*)
Verwendet werden das Kraut, die Früchte und die Knolle als Gemüse.
Wirkung: Fördert die Verdauung, lindert Blähungen und Bauchkrämpfe, lindert Hustenreiz, löst Schleim.
Anwendung: Als Tee, als Öl zum Einreiben, als Sirup zum Süßen.
Tee: 2 TL Samenkörner können in 1 l Wasser kurz aufgekocht werden.

Frauenmantel (*Alchemilla xantochlora*)
Verwendet werden Blüten und Blätter.
Wirkung: Wundheilend, blutstillend, gut bei Frauenleiden wie Menstruationsbeschwerden, hilft gegen Durchfall, wirkt fiebersenkend.
Anwendung: Als Tee, als Sitzbad bei weißlichem Ausfluss oder Jucken am Scheidenausgang, zum Gurgeln bei Kehlkopfentzündung.
Tee für Sitzbad: 2 EL Kraut überbrühen.
Zum Gurgeln: 1 TL auf 1/2 Liter.

Hirtentäschel (*Capsella bursa-pastoris*)
Verwendet wird die ganze Pflanze.
Wirkung: Hilfreich bei vielen Arten von Blutungen, bei Harnwegsinfektionen und Nierenleiden.
Anwendung: Als Tee und als Sud für Sitzbäder.
Tee: 2 TL auf 1 Liter.
Frisch: 1 Bund Kraut mit heißem Wasser überbrühen, 10 Minuten ziehen lassen, mit Kraut ins temperierte Sitzbad.

Holunder (*Sambucus nigra*)
Verwendet werden Blüten, Beeren, junge Blätter und Rinde.
Wirkung: Harn- und schweißtreibend, auswurffördernd, entzündungshemmend, beugt Erkältungen vor, fiebersenkend.
Anwendung: Blüten als Tee und Beeren als Saft: zum Fiebersenken, bei grippalen Infekten. Rinde und Blätter: als Tinktur oder Essenz verarbeitet, als Mundwasser oder zum Gurgeln.
Achtung: Beeren roh sind schwer verdaulich!
1 Esslöffel Blüten werden mit nicht mehr kochendem Wasser überbrüht, 10 Minuten ziehen lassen.

Johanniskraut (*Hypericum perforatum*)
Verwendet werden kann die ganze Pflanze.
Wirkung: Beruhigend, gut gegen Depressionen, entzündungshemmend, heilt Wunden, auch Brandwunden.
Anwendung: Als Öl, Tee, Tropfen, Kapseln.
Tee: 2 TL Kraut mit 1 Liter nicht mehr kochendem Wasser überbrühen, 7 – 10 Minuten ziehen lassen, frisch 5 – 6 Stängel.

Kapuzinerkresse (*Tropaeolum majus*)
Verwendet wird das ganze Kraut.
Wirkung: Antibiotisch.
Anwendung: Innerlich bei Infekten, z. B. der Harnwege. Äußerlich bei Verbrennungen, auch Sonnenbrand, und zur Behandlung von Wunden und Hautausschlägen.
Frisch oder getrocknet als Tee oder in Salat oder auf's Brot.

Knoblauch (*Allium sativa*)
Verwendet werden die frischen Zehen.
Wirkung: Keim- und bakterientötend, fördert Auswurf, schweißtreibend, senkt Blutdruck und den Cholesterinspiegel, gegen Würmer, hilfreich bei Bronchitis, Erkältung und Katarrhen.
Anwendung: Siehe oben oder als Kapseln, Tabletten, Tinktur, Sirup.

Lavendel (*Lavendula officinalis*)
Verwendet wird die Blüte.
Wirkung: Beruhigt und entspannt, schlaffördernd.
Anwendung: Als Tee, Öl, Tropfen, auch als Badezusatz.
Tee: 3 – 4 TL Blüten auf 1 Liter.
Frisch: ca. 5 Stängel.

Linde (*Tilia platyphyllos*)
Verwendet werden die Blüten im Juni / Juli.
Wirkung: Harn- und schweißtreibend.
Anwendung: Als Tee, Aufguss, Badezusatz.
Badewasser: Einen 10-l-Eimer mit Blüten füllen und mit Wasser über Nacht stehen lassen.

Löwenzahn (*Taraxacum officinale*)
Verwendet werden Blüte, Wurzel und Blätter.
Wirkung: Harntreibend, abführend, lindert Rheuma, stärkt Leber und Galle, geeignet bei schweren Bronchitiden.
Anwendung: Aufguss, Saft, Extrakt, Tee.
Tee pur oder gut als Mischung mit Pfefferminze, Melisse und Brombeerblättern.
Pur: 2 – 4 TL auf 1 Liter.

Majoran (*Majorana origanum*)
Verwendet werden Blüten und Blätter.
Wirkung: Appetitanregend, gegen Blähungen, Koliken.
Anwendung: Als Tee, Gewürz in der Küche, als Salbe gegen Pilze.
1 TL auf 1/2 Liter.

Quecke (*Agropyron repens*)
Verwendet werden im Frühjahr gesammelte Rhizome.
Wirkung: Beruhigend und harntreibend, blutreinigend, gut bei Harnwegsleiden einschließlich Prostataentzündung, bei Nierensteinen.
Anwendung: Aufguss, Kaltauszug, Abkochung.

Ringelblume (*Calendula officinalis*)
Verwendet werden Blüten und Blätter.
Wirkung: Entzündungshemmend, antiseptisch, pilztötend, fördert die Wundheilung und stillt äußere Blutungen, schwach abführend, entzündungshemmend
Anwendung: Als Presssaft, Tinktur, Salbe, Tee, Essenz.

Salbei (*Salvia officinalis*)
Verwendet werden die Blätter.
Wirkung: Schmerzstillend bei Halsschmerzen.
Anwendung: Als Tee. Je nach Geschmack 1 – 2 Stängel oder getrocknet 1 Teelöffel auf 1 Liter.

Schachtelhalm (*Equisetum arvense*)
Verwendet werden die frischen Triebe.
Wirkung: Stillt innerliche und äußerliche Blutungen, gut bei Blasen- und Harnwegsinfekten.
Anwendung: Aufguss, Kaltauszug, Abkochung.
Als Essenz, Tee, Tinktur, als Dampfbad krampflösend bei akuter Blasenentzündung.
Tee: 2 TL auf 1 Liter über den Tag verteilt trinken.

Schafgarbe (*Achillea millefolium*)
Verwendet wird blühendes Kraut. Blüten geben als Tee einen besonders feinen Geschmack.
Wirkung: Bei Appetitmangel, Magen- und Darmkatarrh, entzündungshemmend, wundheilend, fiebersenkend, schweißtreibend, blutstillend, blutdrucksenkend, zur Unterstützung des Stoffwechsels, stärkt die Abwehrkräfte.
Anwendung: Als Tee, Essenz, als feucht-heißer Wickel zur Unterstützung der Leber.
Tee: 2 – 3 TL (oder 3 – 5 frische Stängel) mit nicht mehr kochendem Wasser überbrühen.

Schöllkraut (*Chelidonium majus*)
Verwendet wird die ganze Pflanze.
Wirkung: Steigert den Gallefluss, vermindert Muskelspannung und Krämpfe. Innerlich bei Gelbsucht, äußerlich bei Ekzemen und Warzen, als Tropfen bei Kopfschmerzen, Übelkeit und Erbrechen.
Anwendung: Als Auszug, Tinktur und Tropfen, frischer Saft bei Warzen
Achtung: Es wird empfohlen, Schöllkraut *nicht unverarbeitet* innerlich zu verwenden!

Sonnenhut, schmalblättr. (*Echinacea angustifolia*)
Verwendet werden Wurzeln und Rhizome
Wirkung: Keim- und virustötend, verbessert das Immunsystem, die Nährstoffaufnahme und Ausscheidung, gut bei grippalen Infekten, zur Unterstützung der Wundheilung.
Anwendung: Als Tropfen, Tabletten, Tinktur.

Spitzwegerich (*Plantago major*)
Verwendet werden Samen und Blätter.
Wirkung: Hilfreich bei allen grippalen Infekten sowie starker Bronchitis, ebenso bei Harnwegsinfekten.
Anwendung: Als Salbe, Sirup, Tee, Pulver.

Stiefmütterchen (*Viola tricolor*)
Verwendet wird das ganze Kraut.
Wirkung: Entzündungshemmend, harntreibend, hilft bei Hautkrankheiten, Rheuma, Gicht, chronischer Bronchitis, schleimlösend.
Anwendung: Als Aufguss. Als Tee: 1 EL auf 1 Liter nur überbrühen, 5 Minuten ziehen lassen.

Weißdorn (*Crataegus*)
Verwendet werden Blüten, Blätter und Früchte.
Wirkung: Blutdruckregulierend, erweitert die Blutgefäße des Herzens, verlangsamt zu schnellen Herzschlag, gut gegen Migräne.
Anwendung: Als Tee und Tropfen. 1 Esslöffel auf 1 Liter, 10 Minuten ziehen lassen.

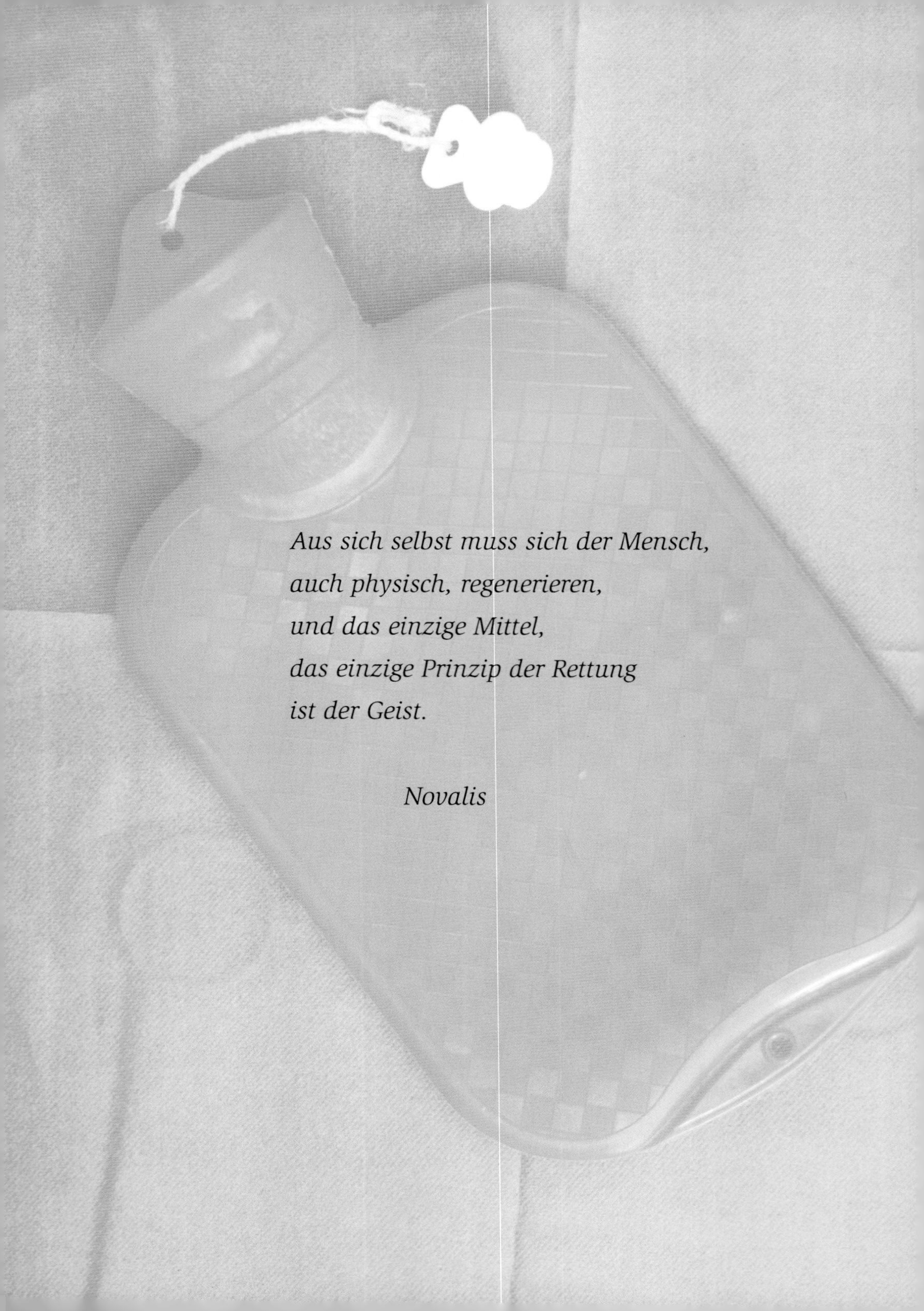

Aus sich selbst muss sich der Mensch,
auch physisch, regenerieren,
und das einzige Mittel,
das einzige Prinzip der Rettung
ist der Geist.

Novalis

Auflage – Kompresse – Wickel

Was ist was?

Mit einfachen Mitteln, die sich seit einiger Zeit wachsender Beliebtheit erfreuen, können Sie sich selbst und anderen sowohl schnell zu entspannenden Momenten verhelfen, als auch kleineren Unwohlheiten zu Leibe rücken – und das ohne großen Aufwand! In diesem Kapitel finden Sie grundlegende Tipps zum Umgang mit Auflagen, Wickeln und Kompressen.

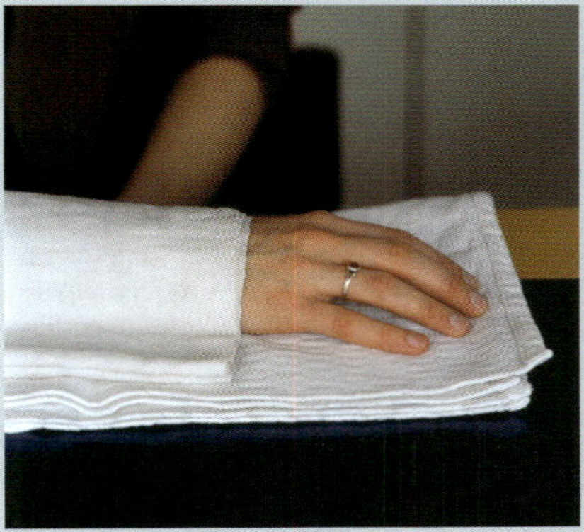

Auflage: Ein Stück Baumwoll- oder Leintuch wird mit Tee oder einer Essenz getränkt und auf die schmerzende oder zu behandelnde Stelle gelegt. Zum Schutz der Unterlage oder zum Festhalten reicht ein weiteres Baumwolltuch. Zum Beispiel bei Verstauchungen und Ähnlichem.

Kompresse: ist ebenfalls aus Baumwolle oder Leinen oder aus Baumwollvlies wie die Mullbinden und Kompressen, die es beim Arzt gibt. Sie werden zum Beispiel für Salbenkompressen verwendet – nach einem Bienenstich mit Combudoron oder bei einem blauen Fleck mit Arnikasalbe. Sozusagen ein paar Nummern größer als ein Pflaster und aus Stoff.

Wickel: Hierfür braucht man

– ein großes Wolltuch (Wollschal) oder ein extra angefertigtes Wolltuch von ca. 130 x 40 cm Größe, kann auch durch ein Frotteetuch ersetzt werden bei Allergie gegen Wolle;

– ein Leibtuch aus Baumwolle oder Leinen, das der Größe des Wolltuches entspricht, es sollte, wie der Name schon sagt, um den Leib passen;

– dann ein Baumwolltuch. Hier empfiehlt es sich, einige in verschiedenen Größen bereit zu haben, da man mal einen Ölwickel, mal einen feuchten Leber- oder Halswickel machen kann.

Es ist sinnvoll, das Leibtuch gleich in das Wolltuch zu legen und einige der Baumwolltücher in der Größe ca. 30 x 20 cm in ein Stück Alufolie zu packen, so braucht man bei Bedarf z.B. eines Ölwickels nur das fertige Wickelpaket zur Hand zu nehmen und muss nicht alles erst zusammensuchen.

Tipp:
Alte, etwas zerschlissene Geschirrhandtücher sind für feucht-heiße Wickel genau das Richtige, sie sollten zum Wickelpaket in den Schrank.

Wärmflaschen gibt es in vielerlei Ausführung, ich gehe bei meinen Beispielen immer von einer Gummi-Wärmflasche aus, wobei ein Ölwickel z.B. genauso gut unter einer alten Kupfer-Bettflasche gewärmt werden kann.

Eine Gummi-Bettflasche sollte immer nur bis zur Hälfte gefüllt sein, die Luft sollte man entweichen lassen, indem man die Bettflasche langsam auf einer Tischfläche aufsetzt und abknickt.

Nicht gegen den Leib pressen – akute Verbrennungsgefahr, wenn dann das Wasser oben heraussprudelt!

Wichtig vor dem Anlegen eines Wickels:

- Immer auf warme Füße achten und schauen, dass der Patient gut liegt: Dinkelkissen unter die Knie, ein Lavendelkissen zusätzlich unter den Kopf oder die Füße etwas höher lagern. Dinkel- oder Hirsekissen zur Lagerung kann man auf der Heizung oder im Ofen vorwärmen. Wickel und Wärmekissen *auf keinen Fall* in der Mikrowelle erwärmen! Die Wellen zerstören die wirksamen Kräfte.
- Den Patienten vor Anlegen des Wickels auf die Toilette schicken.
- Warme Füße lassen sich schnell erzeugen, indem man die Füße mit warmen Händen mit einem vorgewärmten Öl von der Wade abwärts, in kreisenden Bewegungen leicht massiert oder einreibt. Eine Wärmflasche tut das ihre dazu. Vorsicht: Sie kann Verbrennungen hervorrufen.
- Heiße und warme Wickel sind sogar im Sommer für viele ein Genuss, da die Wärme als wohltuend empfunden wird.
- Es ist darauf zu achten, dass während und nach einem Wickel Zugluft und Auskühlung vermieden werden; die behandelte Stelle sollte gut warm gehalten werden.
- Das Zimmer sollte gelüftet und ordentlich sein. Die Atmosphäre macht bei einem Wickel viel aus.
- Mancher bekommt bei Wollsocken nur feucht-kalte Füße; dann ist es ratsam, Baumwollsocken unter den Wollsocken anzuziehen.

Kalte und kühlende Anwendungen

Kälte ist immer dann gefragt, wenn:

- entzündliche Prozesse mit Schwellungen einhergehen,
- bei Rheuma ein akuter Schub eingetreten ist und man *keine Hitze oder Wärme* verträgt (im Allgemeinen ist Wärme bei Rheuma jedoch besser!),
- Venen sehr schmerzen oder entzündet sind,
- Schmerzen durch *Kühlung* gelindert werden können, z.B. Zahnschmerzen, Gelenkschmerzen,
- bei schmerzhaften anginösen Schluckbeschwerden mit geschwollenen Lymphknoten.

Kalte Anwendungen sind:

- Schnapswickel,
- Wickel mit essigsaurer Tonerde oder mit Essig,
- Quarkwickel,
- kalte Zitronenwickel,
- Beinwellwickel,
- Erdbeerwickel (z.B. bei Verbrennungen),
- Lehmwickel,
- Arnika-Umschläge,
- Combudoron-Umschläge,
- Wickel und Kompressen aus Tee, z.B. Schwarztee-Kompressen zum Abschwellen dicker Augenlider,
- Salzwickel.

Essigsaure Tonerde

Bienenstich, verstauchte Knöchel, Wunden, die z.B. durch rostige Nägel hervorgerufen wurden, all das wurde bei uns zu Hause mit essigsaurer Tonerde behandelt, da sie kühlt und geschwollene Stellen schnell abschwellen lässt.

Für Umschläge braucht man ein Tuch, das man in die verdünnte Lösung tunkt und um oder an die schmerzende Stelle legt. Darüber wird ein Frotteetuch gelegt, das das Wickeltuch fixiert und die Feuchtigkeit auffängt.

Essigsaure Tonerde gibt es in Apotheken.

Alkohol- oder Schnapswickel

Alkoholwickel wirken durch die entstehende Verdunstungskälte ebenfalls kühlend; allerdings leidet die Haut, da sie ausgetrocknet wird.

Der Schnapswickel wird ebenfalls dann angelegt, wenn durch oberflächliche Entzündungsprozesse Schwellungen entstanden sind.

Quarkwickel

Quark kühlt, und seine Molke gibt reichlich Feuchtigkeit an die Haut ab. Er zieht die Entzündung aus dem Gewebe.

Wirksam bei Bronchitis, Nebenhöhlen- oder Gelenkentzündungen, Verbrennungen oder Sonnenbrand. Ebenso bei Verstauchungen, Zerrungen und Rheumaschüben.

Quark kühlt auch dann, wenn er nicht aus dem Kühlschrank kommt.

Es kann Magerquark oder 20 – 40% Quark verwendet werden, Magerquark reicht aber aus (20 oder 40% Quark ist streichfähiger). Es sollte keine Quarkzubereitung sein.

Ein Baumwolltuch, das an oder um die schmerzende Stelle passt, wird 1/2 bis 1 cm dick mit Quark eingestrichen.

Das Wickeltuch kann so an die Haut gelegt werden, dass der Quark direkt auf der Haut aufliegt, oder aber man faltet das Tuch nochmals zusammen, sodass zwischen Haut und Quark eine Schicht Tuch ist.

Der Wickel bleibt ca. 1 1/2 bis 2 Stunden, je nach Belieben.

Man braucht ein Tuch zum Schutz der Unterlage, ein Leib- und Wolltuch. Achtung – der Quarkwickel kann so warm werden, dass er Wolle verfilzt!

Manchen Menschen ist der zimmerwarme Quark noch zu kalt und unangenehm. Dann kann der Quarkwickel auf ein Stück Alufolie gelegt und mittels einer Wärmflasche kurz angewärmt werden. Nun auf die entzündete Stelle aufgelegt, ruft er keinen ›Schock‹ hervor. Der Wickel kühlt nun rasch ab, was aber jetzt eher als angenehm empfunden wird.

Halten Sie die Stelle *nach* der Behandlung gut warm.

Salzwasserkompresse

Bei Hexenschuss, Gelenkschmerzen, Knieschwellungen. Nur verwenden, wenn man einen wirklich kalten Wickel braucht und diesen auch verträgt. Man benötigt:

- ein Kochsalzgemisch, das aus 2 Teelöffeln Salz und 1 Liter Wasser besteht,
- ein kleines Gäste-Frotteehandtuch,
- einen Plastikbeutel.

Das Gästehandtuch wird mit der Kochsalzlösung getränkt, in den Plastikbeutel gegeben und in das Gefrierfach gelegt (max. – 5 °C). Es ist nach 4 bis 6 Stunden kalt genug und muss eventuell mit Topflappen angefasst werden. Es wird ohne den Plastikbeutel angelegt und mit einem Leib- und Wolltuch festgehalten. Nach maximal 10 Minuten sollte die Kompresse entfernt werden. Wird sie vorher schon als unangenehm empfunden, wird sie kurz entfernt und nochmals aufgelegt.

Wenn die Kompresse in der Gefriertruhe oder dem Gefrierschrank war (– 18 bis 20 °C), ist sie schon nach ca. 2 Stunden gebrauchsfertig. *Sie darf dann allerdings nur 1 bis 2 Minuten aufgelegt werden!*

Achtung: Eine so kalte Kompresse kann nur partiell auf kleine Teile des Körpers aufgelegt werden, niemals z. B. um den Leib oder auf den ganzen Rücken; dies würde zu einem Schock durch zu starke Auskühlung führen.

Eisbeutel

Eiswürfel zerkleinern, in einen Waschlappen füllen und um oder an die schmerzende Stelle legen. Im Falle von Verbrennungen ist es ratsam, Combudoron-Eiswürfel parat zu haben: Eiswürfel herstellen und, wenn sie anfangen fest zu werden, Combudoron-Lösung einträufeln. Die fertigen Combudoron-Würfel dann auf die verbrannte Stelle drücken. Kühlt schön, und an die betroffene Stelle kommt gleichzeitig kühles Combudoron.

Für einen trockenen Eiswickel gibt man das Eis in eine Plastiktüte und gibt sie in einen Waschlappen oder wickelt ein Tuch darum.

Essigwickel

Essig hat eine kühlende Wirkung. Bei Hitzewallungen ist ein kaltes Essigfußbad sehr ratsam, da Essig die Wärme nimmt. (Wer keinen Essiggeruch mag, nimmt Zitrone.)

Wer also einen Essigwickel machen möchte, gibt in kaltes Wasser 3 Esslöffel Essig, tunkt ein Handtuch oder anderes Baumwolltuch ein und legt es um oder auf die schmerzende Stelle. Schutztuch aus Baumwolle darüber legen.

Kalter Zitronenwasserwickel

Eine Zitrone halbieren und in eine kleine Schüssel mit kaltem Wasser geben. Die Schale mit einem Messer einritzen und zerquetschen, damit der Saft und die ätherischen Öle austreten können. Ein Tuch darin tränken und um die schmerzende Stelle legen. Hilft immer da, wo man Essigwickel machen würde, man den Essig aber nicht riechen mag.

Beinwell-, Arnika- oder Combudoron-Wickel, auch Wickel aus allen *Teesorten*: wie oben Zitronenwickel.

Bei allen kalt-feuchten Wickeln braucht man nur ein Außentuch.

Wunderbar kühlen auch Schwarztee-Beutel oder in Schwarztee getränkte Tücher. Schwarztee-Beutel sind ideal für geschwollene Augen und Tränensäcke oder bei Schwellungen, wenn man z. B. Mitesser oder Pickel ausgedrückt hat.

Lehmwickel

Hilfreich bei Krampfadern oder Thrombosen. Immer, wenn ein kalter Wickel angesagt ist: bei Gelenkschmerzen, Venenentzündungen oder Verstauchungen.

Lehm bekommt man als Pulver in der Apotheke oder in manchen Gegenden auch getrocknet als Brocken erhältlich; als Paste mit Kräuterzusätzen oder Ölen gibt es Lehm ebenfalls (auch in gut sortierten Drogeriemärkten).

Der Wickel aus Lehmpulver, z. B. für einen verstauchten Knöchel:

Eine Tasse Lehmpulver wird mit heißem Wasser übergossen, damit sich der Lehm besser auflöst (ca. 1/2 Tasse) und zu einem dickflüssigen Brei verrührt, wenn möglich mit einem Holzspatel oder -löffel. Im Kühlschrank lässt man den Brei nun kalt werden. Er wird dann auf ein Stück altes Tuch gestrichen, darüber kommt eine feine Schicht Gaze (Kompresse). Auf den Knöchel auflegen und mit einem Handtuch umhüllt den Patienten gut zudecken. Aufliegen lassen, solange er gut tut.

Sollten Sie Lehmbrocken besitzen, gehen Sie wie oben beschrieben vor, allerdings sollten hier die Lehmbrocken gut mit heißem Wasser überbrüht und einen Tag stehen gelassen werden. Am nächsten Tag wird die Mischung zu einem Lehmbrei gerührt, wie oben beschrieben, auf Tücher gestrichen, mit Gaze überdeckt, und auf die schmerzende oder zu behandelnde Stelle gelegt.

Sollte das ganze Bein mit einem Lehmwickel versehen werden, sparen Sie den Fuß aus, es kann sonst zu unangenehmer Auskühlung kommen.

Lehmpaste vereinfacht die Prozedur, da die Paste nur auf ein Tuch gestrichen werden muss und dann wie die anderen Wickel gehandhabt werden kann.

Wer den Lehmwickel warm anlegen möchte, kann ihn zwischen Wärmflaschen erwärmen, die Paste kann im Wasserbad erwärmt werden.

Lehm immer in Plastikgefäßen oder Holzschüsseln anrühren, da er Metallverbindungen nicht verträgt.

Agavenblätterwickel

Bei Verbrennungen, Quetschungen, Stichen, Rheuma, Gicht.
In südlichen Ländern gilt die Agave neben der Aloe Vera als eine der wichtigsten Heilpflanzen überhaupt.

Agavenblätter werden gut gewaschen, in kleine Stücke geschnitten und mit einem Wellholz zerquetscht. Dann wird das Ganze auf ein Tuch gelegt. An durch Ausschläge brennende Hautpartien legen und mit einer Mullbinde fixieren. Bei Hautausschlägen, Schwellungen nach Insektenstichen und rheumatischen Beschwerden aller Art.

Warme und wärmende Anwendungen

Wärme tut uns in vielen Fällen sofort gut. Denken Sie dabei nicht nur an kalte Wintertage, an denen man sich mit einer warmen Tasse Tee aufwärmt. Eine warme Suppe oder ein warmes Stück Apfelstrudel sind kulinarische Genüsse, die Leib und Seele gut tun. Aber Wärme ist auch äußerlich eine Wohltat, bringt doch eine warme Bettflasche bei Magenschmerzen schnell Hilfe, bei vielen Gelenk- oder Muskelschmerzen ist ein warmes Dinkel-, Hirse- oder Kirschkernkissen wohltuend und lindernd. Aber es gibt auch andere Wärmequellen, die auf natürliche Weise Linderung verschaffen:

- Senfwickel,
- Ingwerwickel,
- Ölwickel,
- Schmalzwickel (Speckwickel),
- Zwiebelwickel,
- Kohlwickel,
- Bienenwachs- oder Honigkompresse,
- feucht-heiße Kompresse oder feucht-heißer Wickel,
- Meerrettichwickel,
- Sandsäckchen,
- Dinkelspreu- oder Kirschkernkissen,
- Kräuterwickel,
- Heublumenkissen,
- Kräuterkissen,
- Lehmwickel,
- Kartoffelkompresse,
- Meerrettichkompresse,
- heißer Zitronenwickel bei eher chronischen Halsschmerzen mit anhaltend kratzendem Gefühl.

Wann immer Sie etwas anwärmen, verwenden Sie niemals die Mikrowelle, auch wenn Sie finden, es gehe dann viel schneller. Die Mikrowelle zerstört alles, was an Heilkräften in den Kräutern und Substanzen steckt. Verbannen Sie sie wenn möglich ganz aus Ihrer Küche. Es gibt dazu inzwischen gute Literatur über die Schädigungen, sodass Sie sich ausführlich informieren können (siehe Literaturliste).

Wärmflaschen, die mit heißem Wasser gefüllt sind, *nicht* an Kranke oder alte Menschen – auch nicht in Kinderbetten (Verbrennungsgefahr!).

Wärmende Wickel

Senfwickel

Durchblutungsfördernd, sekretionslösend, durchwärmend, entspannend.

Bei Hexenschuss, Lungenentzündung, hartnäckigen Bronchitiden, Gelenkentzündungen, zur besseren Durchblutung des Gewebes.

Der Senfwickel ist wohl der ›hitzigste‹ unter den Wickeln und sollte unbedingt mit größter Sorgfalt gehandhabt werden. Senf ist schwefelhaltig und enthält ätherische Öle, die ranzig werden können, daher ist es ratsam, sich nur eine kleine Menge zuzulegen. Außerdem wirkt der frische Senf besser. Der gebrauchte Wickel sollte gleich entsorgt werden – durch den Schwefel fängt er an übel zu riechen! Man benötigt:

- schwarzes Senfpulver, *Semen sinapis* aus der Apotheke,
- ein Wolltuch,
- ein Leibtuch,

- zwei Blätter Küchenpapier oder ein altes Tuch, das nachher weggeworfen werden kann,
- ein altes Geschirrhandtuch oder ein Stück Baumwolltuch,
- eine Schüssel mit lauwarmem Wasser,
- Öl, um die behandelte Stelle anschließend zu pflegen (z.B. Lavendel- oder Olivenöl),
- einen Waschlappen und eine weitere Schüssel mit warmem Wasser.

Geben Sie das Senfpulver messerrückendick auf das Küchenpapier, die Enden werden mit Leukosilk oder Tesa verklebt. Das Senfpaket nun auf ein Baumwolltuch legen, zusammenfalten und aufrollen, dann in die Schüssel mit warmem Wasser tunken.

Das Wolltuch mit dem Leibtuch wird bereitgelegt. Wer das Leibtuch schützen möchte, kann ein altes Tuch darüber legen, da der Senf das Tuch gelb-braun verfärbt. Der aufgerollte Senfwickel wird leicht ausgewrungen, aufgerollt und auf die betreffende Stelle gelegt.

Wichtig: Der eine merkt ein Brennen schon nach einer Minuten, der andere kann den Wickel gut 10 Minuten vertragen! Lassen Sie sich nicht verunsichern, wenn die Haut nach dem Abnehmen des Wickels leicht gerötet ist; reiben Sie die Stelle am besten sanft mit Oliven- oder Lavendelöl ein. Die Anwendungsdauer kann langsam gesteigert werden.

Unbedingt dabei bleiben, damit der Wickel bei Brennen oder Prickeln gleich abgenommen werden kann! Den nächsten Wickel erst anlegen, wenn die Rötung abgeklungen ist.

Wenn der Senfwickel auf den Rücken gelegt wird, z. B. bei Lungenentzündung, sollte man zwei Wickel bereiten und sie rechts und links der Wirbelsäule anlegen. Nicht *auf* die Wirbelsäule! Ebenfalls bei Hexenschuss.

Bei empfindlicher Haut kann diese nach dem Abnehmen mit einem lauwarmen Waschlappen abgewaschen und dann erst eingeölt werden.

Ingwerwickel mit Ingwerpulver

Bei Schlafstörungen, Hexenschuss, Schnupfen, Nierenschmerzen.

Wirkt im Gegensatz zum Senfwickel milder hautreizend und anhaltend durchwärmend. Sekretlösend.

Ingwerpulver gibt es ebenfalls in der Apotheke.

Genaue Handhabung wie beim Senfwickel.

Variation II: 2 Esslöffel Ingwerpulver werden mit ca. 3 EL heißem Wasser zu einem Brei verrührt, auf ein Küchentuch gestrichen, auf ein Baumwolltuch gelegt und als Paket zusammengefaltet und aufgelegt.

Variation III: In 300 ml heißes Wasser 1 bis 2 Esslöffel Ingwerpulver einrühren. Wie beim feucht-heißen Wickel beschrieben (siehe Seite 111), das Tuch eintauchen, auswringen und anlegen.

Achtung: Ingwer kann anregend wirken, daher nicht nach 16 Uhr anwenden. Außerdem kann er zu Kreislaufproblemen führen.

Tipp: Bei Hautempfindlichkeit der Hände den Ingwerwickel wie den feucht-heißen Wickel mittels Kochlöffel auswringen.

Ölwickel

Ein Ölwickel ist immer dann angesagt, wenn die Heilsubstanz durch Wärme in die Tiefe dringen soll, was gerade die nicht mehr junge Haut gut gebrauchen kann. Der Wickel ist durchblutungsfördernd, entspannend, wohltuend und wärmend. Er kann gut heiß aufgelegt werden, tut seine Wirkung aber auch, wenn er nur gut warm ist.

Bei Verspannungen, Hexenschuss, Gliederschmerzen, bei chronischer und normaler Bronchitis, bei Reizhusten, zur Beruhigung bei Herzrasen, bei Einschlafschwierigkeiten und Gelenkschmerzen.

Die verwendeten Öle sollten unbedingt naturrein sein.

Auf keinen Fall 100-prozentiges ätherisches Öl verwenden, es reizt die Haut viel zu sehr. Am besten 5- oder 10-prozentig von Wala oder Weleda.

Bei diesem Wickel ist es ratsam, sich hinzulegen, damit der Wickel gut wirken kann. Er kann auch gut die ganze Nacht lang wirken.

Tipp für Großeltern: Dieser Wickel ist bei Kindern sehr beliebt. Bei ihnen reicht ein kleines Stück Rohwolle, das wärmend auf den Wickel gelegt wird.

Wie für die Wickel beschrieben braucht man auch hier:

- ein Leibtuch,
- ein Wolltuch,
- ein Baumwolltuch, auf welches das Öl gegeben wird,
- ein Stück Alufolie,
- ein bis zwei Wärmflaschen,
- Öl.

Ein Stück Alufolie auf den Tisch legen, das Stück Baumwolltuch darauf und mit etwas Öl beträufeln. Die Alufolie zusammenfalten und zwischen die sehr heißen Wärmflaschen legen. Beide Wärmflaschen in die vorbereiteten Wickeltücher, diese am besten ins Bett, damit dieses auch gleich vorgewärmt ist. Durch die Wärme verteilt sich das Öl gleichmäßig.

Legt man sich den Wickel selbst an, bereitet man die Tücher auf, legt den Ölwickel ohne Alufolie auf das Leibtuch in Höhe der schmerzenden Stelle (Rücken, Schulter, Schulterblätter) und legt sich zurück. Dann faltet man die Tücher vorne zusammen und kann dann noch auf die schmerzende Stelle die Wärmflasche legen oder sich auf die Wärmflasche legen.

Den Ölwickel nach Gebrauch wieder in die Alufolie legen und weiterverwenden. Er kann je nach Häufigkeit des Gebrauchs bis zu einer Woche verwendet werden.

Schmalzwickel

Hier als Brustwickel bei starker Bronchitis.

Schmalz hat einen sehr starken eigenen Geruch und ist daher nicht für alle Nasen geeignet. Wer eine Abneigung gegen den Geruch hat, sollte einen anderen Wickel wählen, bei Bronchitis z.B. einen Ölwickel.

Schmalz zieht Entzündungen aus dem Körper und ist sekretionsfördernd. Man braucht:

- ein Küchenpapier,
- ein Stück Baumwolltuch,
- ein Woll- und ein Leibtuch,
- Schmalz.

Auf das Küchenpapier wird das weiche Schmalz messerrückendick aufgetragen. Dieses wird dann auf die Brust gelegt. Ein Baumwolltuch auflegen und mit einem Leib- und Wolltuch fixieren.

Der Wickel kann über Nacht wirken oder nach etwa einer halben Stunde entfernt werden.

Auch bei entzündeten Gelenken und bei Schleimbeutelentzündungen wird der Schmalzwickel gern verabreicht, da er tief liegende Entzündungen herauszieht. Früher wurden auch oft Speckschwarten um entzündliche Gelenke oder Kniescheiben gelegt, die Wirkung war spürbar. Wie mir eine Landfrau berichtete, spürte man regelrecht, wie die Entzündung herausgezogen wurde. Meist war es einen halben Tag lang kaum auszuhalten, wurde dann aber nach und nach besser, spätestens am zweiten Tag konnte man das vorher fast unbewegliche Knie wieder beugen.

Zwiebelwickel

Bei Ohrenentzündung, Halsschmerzen, Gelenkschmerzen, Bronchitis.

Als Alternative zum Schmalz- und Speckschwartenwickel kann der Zwiebelwickel genommen werden. Die schwefelhaltigen Stoffe sind unter anderem entzündungshemmend, aber auch bei Stichen oder Gelenkschmerzen kann der Wickel eingesetzt werden.

Nehmen Sie eine ungespritzte Zwiebel und schneiden Sie so viel davon ganz klein, dass es ungefähr 2 Esslöffel voll ergibt (für die Ohren etwas weniger). Diese geben Sie auf ein Tuch und legen es auf ein Stück Alufolie. Dann nehmen Sie gutes Olivenöl (kalt gepresst, Bio oder Demeter) und beträufeln die Zwiebelstückchen ein wenig. Falten Sie nun das Tuch zusammen und dann ebenfalls die Alufolie. Legen Sie das Paket zwischen eine heiße Wärmflasche und lassen Sie das Päckchen ca. 5 Minuten erwärmen. Nehmen Sie dann die Zwiebelkompresse aus der Alufolie und legen Sie diese auf die gewünschte Stelle. Bei Ohrenschmerzen wird der Zwiebelwickel direkt auf das Ohr gelegt, man kann ein Stück ungesponnener Wolle darüber geben.

Bei Gelenkentzündungen hat sich Folgendes bewährt: Nehmen Sie einen alten Baumwollsocken und schneiden Sie das Fußstück ab, legen Sie die klein geschnittenen Zwiebel, etwa 3 TL, auf einen kleinen Teller und beträufeln Sie die Zwiebel mit Öl, füllen Sie das Gemisch nun in den ›Sockenschlauch‹ und kleben Sie die Enden mit Pflaster zu. Zum Erwärmen wird auch dieser Wickel in Alufolie und zwischen zwei heiße Wärmflaschen gegeben und dann um das Gelenk gelegt. Als Wärmepolster kann man von einer Wollsocke ebenfalls das Schaftstück nehmen und wie eine Art Pulswärmer über den Wickel ziehen.

Hexenschuss: Dafür werden Zwiebelscheiben gedämpft, in ein Tuch gegeben und so warm, wie man es verträgt, auf den schmerzenden Bereich gelegt, mit einem Leib- und Wolltuch fixiert und so lange dort gelassen, bis der Wickel kühl wird. Dann den Wickel abnehmen und die behandelte Stelle gut warm halten. Sie werden spüren, welche Linderung dieser Wickel bringt, wenn Sie sich nicht die berühmte Spritze geben lassen wollen, auf die man ja vielerorts schwört.

Kohlwickel

Verwendet werden Weißkohl oder Wirsing, Rotkohl nur in Ausnahmefällen. Kohl ist eines der ältesten Nahrungs- und Heilmittel der Geschichte, seine Wirkung war schon den alten Griechen bekannt. Er hat die Eigenschaft, Giftstoffe, die bei Entzündungen entstehen, über die Haut aus dem Körper abzuleiten. Deshalb kann er bei tief liegenden Entzündungen wie Knochenhautentzündung, Gelenkentzündungen oder Lungenentzündung eingesetzt werden. Er wirkt zudem desinfizierend und durchblutungsanregend. Er reguliert und fördert die Sekretionsbildung, die bei entzündlichen Prozessen die Wundheilung hemmt. Durch ihn wird das Sekret aus dem Körper abgeleitet, ausgeschieden und die Wundheilung kann erfolgen.

Nicht selten wird ein angelegtes Kohlblatt nach kürzester Zeit welk und die Gegend um die Entzündung herum fängt an, unangenehm zu riechen, da schon nach kurzer Zeit die Entgiftung

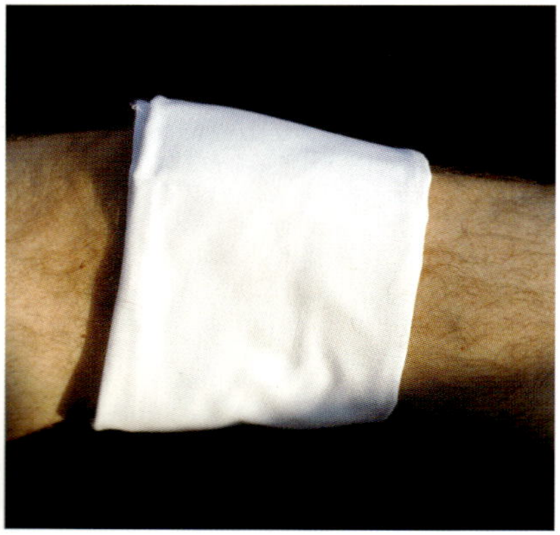

beginnt, die in den meisten Fällen mit unangenehmer Geruchsbildung verbunden ist. Auch kann es vorkommen, dass durch die vermehrte Durchblutung und Sekretionsförderung der Schmerz zunimmt. Steigern Sie die Wickeldauer langsam, fangen Sie mit 5 bis 10 Minuten an.

Wenn Kohlwickel bei offenen Beinen angewendet werden, kann es nach kurzer Zeit schon zu vermehrtem Wundsekretfluss kommen. Binden Sie dann über das Kohlblatt noch zusätzlich eine Kompresse oder ein Baumwolltuch, damit das Sekret aufgefangen wird. Erneuern Sie die Kompressen immer wieder. Bei offenen Beinen sollte das Kohlstück unbedingt die Größe der Wunde und des Wundrandes haben, auf keinen Fall größer!
Was Sie zum Kohlwickel brauchen:

- Innenblätter des Weißkohls oder Wirsings,
- Baumwolltuch, welches zum Fixieren der Kohlblätter dient.

Die Kohlblätter werden von den harten Mittelrippen befreit und mit einem Wellholz gewalkt, auf die schmerzende Stelle gebunden und mit einem Baumwolltuch fixiert.

Wer einen warmen Kohlwickel möchte, schneidet ebenfalls die Mittelrippen des Blattes heraus und legt die Blätter auf ein rundes Kuchengitter und dieses auf einen Topf mit kochendem Wasser. Die Blätter werden so langsam und sacht angedampft und weich, 2 bis 5 Minuten, je nach Blattdicke, reichen. So warm es ertragen wird, das Blatt auf die schmerzende Stelle legen und ebenfalls fixieren.

Tipp: Wer den Wickel schon gut vertragen kann, kann ihn ohne weiteres über Nacht aufliegen lassen. (Man kann die Kohlblätter auch ›überbügeln‹, um sie zu erwärmen und zu walken!)

Bienenwachs- und Honigkompressen

Sowohl im Bienenwachs als auch im Honig sind wertvolle Stoffe mit entzündungshemmender Wirkung. Im Honig, vor allem aber in Propolis-Produkten, befindet sich natürliches Antibiotikum, das den Körper nicht schwächt und das Immunsystem nicht zerstört. (›Normales‹ künstliches Antibiotikum zerstört das gesunde Immunsystem! Bienenantibiotikum *nicht!*) So können bei starkem Reizhusten ein Teelöffel Honig oder wenige Tropfen Propolis schon den Hustenreiz eindämmen, ohne die Sekretionsbildung zu unterdrücken.

Bienenwachskompressen sind aus Bienenwachsplatten schnell hergestellt. Die Bienenwachsplatten bekommt man beim Imker. Sie sollten nicht zu dick und schwer sein, da sie z.B. auf der Brust schnell zu schwer werden.

Die Bienenwachsplatte wird zwischen zwei Wärmflaschen oder auf der Heizung erwärmt. Über Nacht die warme Platte auf die Brust legen und mit einem Wollschal fixieren.

Der *Honigwickel* ist ebenfalls bei grippalen Infekten und bei starker Bronchitis sehr zu empfehlen. Man benötigt:

- ein Baumwolltuch, das auf die Brust passt,
- ein Wolltuch oder ein Stück ungesponnene Schafwolle,
- guten Imkerhonig, wenn möglich aus der Region.

Der Honig wird messerrückendick auf das Brusttuch gestrichen und mit der Honigseite nach oben auf einer Wärmflasche erwärmt.
Ca. 10 Minuten erwärmen und dann mit der Honigseite nach unten auf die Brust legen. Ein Leib- und Wolltuch oder einfach ein Stück ungesponnener Schafwolle darauf legen, damit der Wickel schön wärmt. Über Nacht zieht der Honig in die Haut ein. Was am Morgen noch übrig ist, kann problemlos mit etwas warmem Wasser abgewaschen werden. Auf offenen, eiternden Wunden trägt Honig rasch zur Heilung bei.

Die feucht-heiße Kräuterkompresse

Lang anhaltende und angenehme Wärme, je nach Bedarf mit unterschiedlichen Kräutern zuzubereiten. Hier wird der Thymianwickel bei Bronchitis beschrieben:

Auf ein ca. 80 x 40 cm großes Baumwolltuch werden zwei Blatt Küchentuch gelegt, auf eines der Blätter kommt nun etwa eine Handvoll Thymian, der verteilt wird. Das zweite Blatt darüber falten und das Baumwolltuch ringsherum zu einem kleinen Paket falten (ca. 40 x 40 cm).

Dieses wird nun in ein altes Geschirrtuch gewickelt (wie beim feucht-heißen Wickel beschrieben, siehe nächste Seite) und aufgerollt, in einer Schüssel mit heißem Wasser übergossen, ausgewrungen und auf den Rücken oder die Brust so heiß, wie es vertragen wird, aufgelegt. Mit einem Leib- und Wolltuch zuwickeln und fixieren. Eine heiße Wärmflasche unterstützt die Wirkung.

- Mit Rosmarin zur Belebung, mit Lavendel zur Beruhigung.
- Mit Schachtelhalm bei Nieren-/Blasenleiden.
- Mit Schafgarbe als Leberkompresse zur Stoffwechselunterstützung.

Nach ca. 20 Minuten wird die Kompresse abgenommen. Danach ruht man noch für ca. 20 Minuten nach.

Der feucht-heiße oder feucht-warme Wickel

Hier wird beispielhaft der Schafgarben-Leberwickel erklärt, wobei nach diesem Prinzip alle warmen und heiß-feuchten Wickel zu handhaben sind.

Schafgarben-Leberwickel

Anwendung: Bei starken Verspannungen, Kopfschmerzen, Hysterie. Verdauung fördernd, Stoffwechsel anregend.

Schafgarbentee kalt ansetzen (Stängel und Blüte), 5 bis 10 Minuten zugedeckt auf schwacher Flamme köcheln lassen und in eine Thermoskanne geben.

1 Schüssel
1 Wolltuch
1 Leibtuch
1 dünnes Geschirrtuch
1 Baumwolltuch in der Größe der Leber (etwa die Größe eines DIN A 5-Blattes)
1 Wärmflasche, mit der das Wickelpaket vorgewärmt wird
1 Kochlöffel

Das Wickelpaket im Bett in Höhe der Leber ausbreiten. Der Patient kann sich bequem darauf legen.

Das Baumwolltuch in das Geschirrtuch rollen und so in die Schüssel legen, dass die Enden heraus schauen.

Nun den Schafgarbentee über das Geschirrtuch in die Schüssel gießen. Das Geschirrtuch an den trockenen Enden herausnehmen und um einen Kochlöffel legen, sodass beide trockenen Enden in der einen Hand, der Kochlöffel in der anderen Hand sind. Den Kochlöffel drehen und somit das Tuch über der Schüssel auswringen.

Nun am Patientenbett das Baumwolltuch aus dem Geschirrtuch

wickeln und vorsichtig auf die Lebergegend (rechter Oberbauch) legen. Man kann den Wickel auf die Haut legen und wieder abnehmen und gleich wieder anlegen, bis die Temperatur angenehm ist; jedoch sollte der Wickel so heiß wie möglich angelegt werden. Dann rasch das Leibtuch und das Wolltuch zuschlagen, eventuell die Wärmflasche auf den Bauch legen. Den Wickel 20 Minuten einwirken lassen. Nehmen Sie sich danach mindestens 20 Minuten Zeit zum Nachruhen.

Meerrettich

Der Meerrettich enthält Allylsenföl, welches uns die Tränen in die Augen treibt. Er ist stark sekretionsfördernd und als Kompresse auf der Haut besonders durchblutungsfördernd.

Er kann frisch gerieben aufs Brot gegessen werden oder mit geriebenen Äpfeln vermischt und in Süßrahm oder Sahne zu Braten und Gemüse gereicht werden und verliert so etwas an seiner Intensität – nicht aber an Wirkung.

Bei frisch geriebenem Meerrettich zum Verzehr sei als Tipp gesagt: Den Meerrettich nur vorsichtig zerbeißen und nur kleine Mengen nehmen.

Meerrettichkompresse: Hierzu braucht man ein kleines Baumwolltuch: 10 x 10 cm, etwas Creme für die zu behandelnde Stelle und frischen Meerrettich (oder aus dem Glas – Reformhaus oder Naturkostladen). Für eine Wangen- oder Stirnkompresse reichen zwei Teelöffel Meerrettich. Dieser wird mit dem Messer verteilt, das Tuch wird zusammengefaltet. Auf die Wange oder Stirn kommt ein wenig pflegende Creme, um die Haut nicht zu sehr zu strapazieren, dann legt man die Kompresse auf die Wange, solange man es aushält, dann auf die andere Wange, dann auf die Stirn und so immer wieder ringsum, bis man das Gefühl hat, dass eine gute Durchblutung eingesetzt hat. Beim einen ist dies nach 2 Minuten erreicht, beim anderen nach 10. Wer es mag und verträgt, kann die

Kompresse auch auf den Nacken legen. Danach die Haut mit Oliven- oder Lavendelöl einreiben. Während des Wickels können die Augen mit warmen Wattepads abgedeckt werden.

> *Wichtig bei allen Wickeln:*
> Wenn Sie sehr krank sind, wie z.B. bei einer Lungenentzündung oder einer starken Bronchitis usw., sollten Sie immer Ihren Arzt zu Rate ziehen!
> Nach allen Wickeln viel trinken, um das Gelöste auszuschwemmen – und unbedingt nachruhen!

Kartoffelkompresse

Die Kartoffelkompresse ist sehr leicht zu handhaben. Sie ist überall dort einzusetzen, wo man lang anhaltende Wärme braucht, und sie lindert die Beschwerden bei Bronchitis, Halsschmerzen, Nieren- und Blasenleiden, Gelenkschmerzen, dicken Knöcheln (durch Wasseransammlung), Magenschmerzen, Verspannung im Schulter-Nacken-Bereich, bei Hexenschuss und Kopfschmerzen (auch sekretionsfördernd zum Beispiel bei Nebenhöhlenvereiterung).

Man braucht:
- 1 bis 4 Kartoffeln (je nach Bedarf und Behandlungsstelle),
- 1 Geschirrhandtuch,
- 1 Leibtuch aus Baumwolle – nur bei Brust-, Blasen- und Leibwickel,
- 1 Wolltuch,
- evtl. eine Wärmflasche.

Die Kartoffeln werden weich gekocht, ca. 4 Minuten auskühlen lassen und auf das Geschirrhandtuch gegeben. Das Tuch zusammenfalten und die Kartoffeln mit dem Wellholz zerdrücken. So heiß wie möglich an die betroffene Stelle legen. Am Unterarm die Wärme prüfen. Die Kompresse kann gut über Nacht angelegt bleiben, natürlich nur, wenn dies als angenehm empfunden wird. Nach dem Abnehmen die betroffene Stelle gut warm halten.

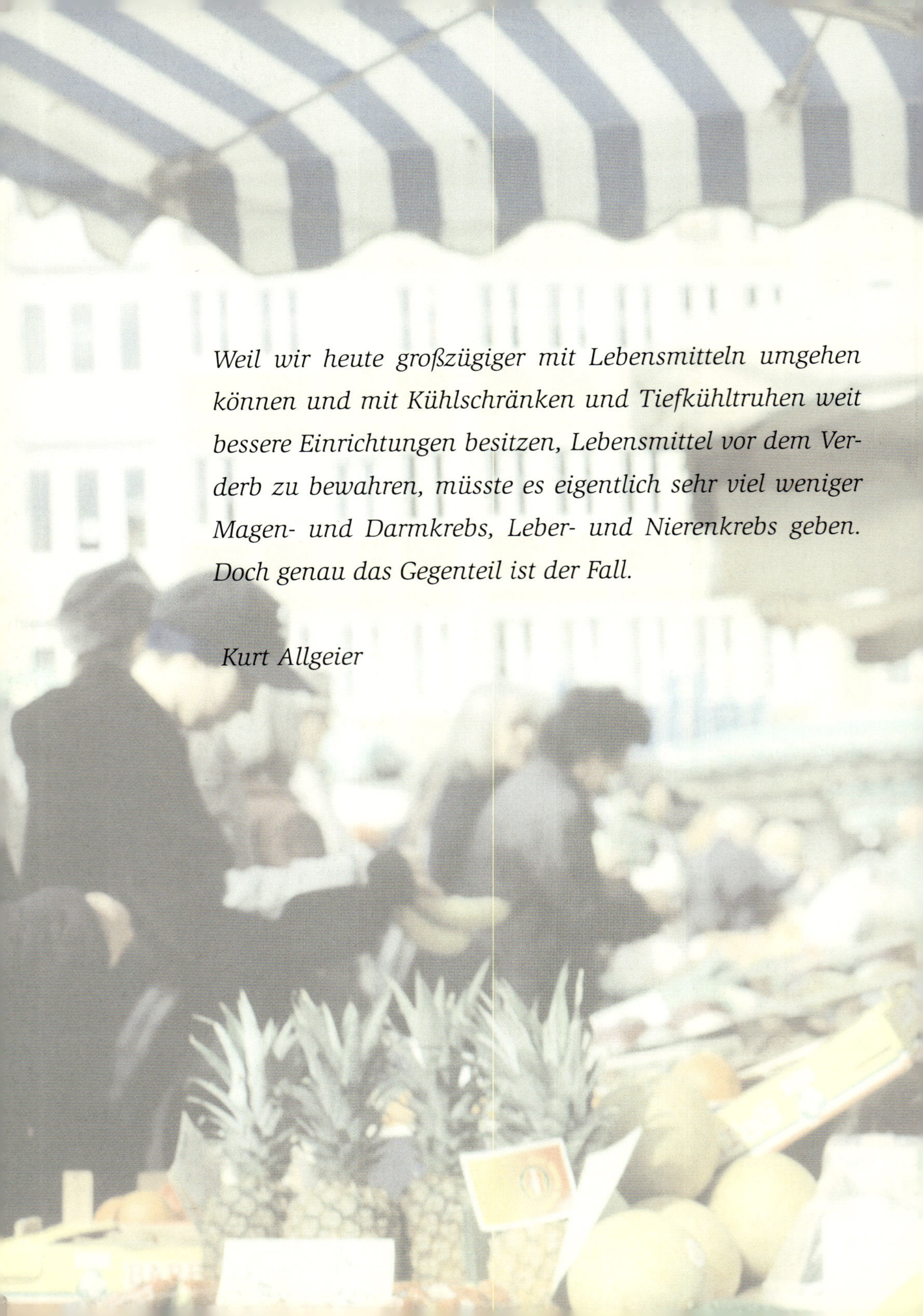

Weil wir heute großzügiger mit Lebensmitteln umgehen können und mit Kühlschränken und Tiefkühltruhen weit bessere Einrichtungen besitzen, Lebensmittel vor dem Verderb zu bewahren, müsste es eigentlich sehr viel weniger Magen- und Darmkrebs, Leber- und Nierenkrebs geben. Doch genau das Gegenteil ist der Fall.

Kurt Allgeier

Rezepte

Wie oft vernachlässigen wir unser Essen und lassen uns verführen, ins Tiefkühlregal zu greifen, um unseren Hunger zu stillen, anstatt mit ausreichend Zeit auf den Markt zu gehen, in aller Ruhe Gemüse der Jahreszeit auszusuchen und in aller Gemütlichkeit ein köstliches Mahl zu bereiten? Hier finden Sie nun einige Rezepte, die Sie, passend zu den Jahreszeiten, einmal ausprobieren sollten. Guten Appetit!

Frühling

Nach der langen Winterzeit ist es besonders wichtig, den Körper wieder mit frischem Grün zu versorgen, mit frischen Vitaminen und Kräutern, die das Essen verfeinern. Der Körper ist wie ausgehungert nach Frischem.

Vitaminreiche und wohlschmeckende Salate und Energiespender
Blattsalat
Kopfsalat oder Eissalat, Rucola, Löwenzahn, Kresse u.a.
Dazu Kräuterdressing mit Schnittlauch, Dill, Petersilie, Löwenzahnblättern, Borretsch, etwas Melisse, Brunnenkresse. Zwiebelröhrchen fein schneiden und mit Salz, Essig, Öl, 1 Teelöffel Senf und 1 Becher Sauerrahm verquirlen. Eine geschälte Gurke reiben und in die Salatsoße mit hineingeben.
Die Salatblätter nach dem Waschen zerteilen und auf einer Platte auslegen. Die Salatsoße darüber geben, kurz bevor serviert wird.

Kräuternudeln

Spagetti oder andere Pasta nach Wahl weich kochen.
Rosmarin, Estragon, Borretsch, Ysop, Melisse, Rauke, eine Zwiebel und andere Kräuter fein schneiden und in etwas Öl andünsten. Unter die warmen Nudeln mischen und sofort servieren. Wer mehr Soße haben möchte, gibt noch 250 – 300 ml Sahne dazu. Nach Belieben salzen.

Kräuterbutter selbst gemacht

In eine Kräuterbutter passen alle fein geschnittenen Kräuter, die man mag. Sie sollten nach dem Waschen gut abgetropft sein.
250 g Butter bei ganz schwacher Hitze schmelzen lassen, etwas Salz und Pfeffer hinzugeben und die sehr fein geschnittenen Kräuter unterrühren. Die Kräuterbutter kalt werden lassen und immer wieder umrühren.
Selbst Heilkräuter schmecken in der Kräuterbutter vorzüglich, wie z.B. Frauenmantelblatt, etwas Hypericumblüten, eventuell sogar ein paar Lavendelblüten. Ansonsten einfach alle Kräuter nach Geschmack. Vorsicht mit bitteren Kräutern wie Weinraute!
Thymianbutter ist besonders fein zu gekochtem Fleisch.

Portulak-Süppchen

Portulak ist ein überaus köstliches Kraut und zu Unrecht kaum bekannt. Es schmeckt etwas säuerlich und ist Vitamin-C-haltig.
Ca. 500 g Portulak waschen, klein schneiden und in 500 ml Wasser kurz blanchieren.
Mit 200 g Sahne auffüllen, gut pürieren und mit Salz, Curry, Pfeffer und etwas Muskat abschmecken. Mit Frischkäse cremig rühren.

Kümmel-Quark

250 g Quark, Fettgehalt nach Wunsch,
1 Becher Sauerrahm,
2 Teelöffel Kümmel, der etwas zerkleinert wird, damit sich der Geschmack besser entfaltet (Kümmel in eine Pfeffermühle geben und so zerkleinern).

Salz, Pfeffer und Kräuter nach Wunsch, z.B. Rosmarin, Liebstöckel, Basilikum, Thymian, Dill.
Alles zusammen gut vermengen. Eventuell noch einen Schuss Sahne dazu. Schmeckt köstlich zu Kartoffeln, aufs Brot und als Dipp zu Gemüsen.

Brennnesselcremesuppe

1 Zwiebel, Salz, Pfeffer, 2 Brühwürfel,
2 Bund gemischte Kräuter wie z.B. Ysop, Kapuzinerkresse (Blüte und Blatt), Borretsch, Rosmarin, Bohnenkraut, Petersilie, Frühlingszwiebel, Schnittlauch, Melisse, Dill, alles fein schneiden, etwas Mehl dazu,
200 ml Sahne, je 1 Packung Frischkäse und Kräuterfrischkäse
ca. 500 g frische Brennnesseln, ohne harte Stiele und Wurzeln waschen und grob schneiden.
Zwiebel schälen und fein raspeln, in gutem Olivenöl anbräunen, von den fein gehackten Kräutern eine Handvoll zurückbehalten, den Rest zu den Zwiebeln geben. Mit Mehl bestäuben, Sahne dazugeben, unter Rühren köcheln lassen und dann die Brühwürfel dazugeben.
Die Brennnesseln in etwas Wasser dünsten, das Wasser zu der Gewürz-Zwiebel-Mischung gießen und die Brennnesseln mit dem Wiegemesser gut wiegen. Etwas davon zu den zurückbehaltenen Kräutern geben. Die Hauptmenge in die Suppe geben. Beide Frischkäse dazu, 1 bis 1,5 l Wasser hinzufügen und pürieren, bei schwacher Hitze köcheln lassen, mit Salz und Pfeffer abschmecken (gegebenenfalls die Suppe mit etwas Mehl andicken oder geschlagene Sahne dazu). Vor dem Servieren die Kräuter und die Brennnesseln dazugeben.
Frisches Weißbrot dazu oder in Knoblauchbutter gewendete und kurz angebratene Croutons.

Brennnessel-Lasagne

Lasagneblätter,
ca. 200 g Borretsch und 1 kg Brennnesseln (junge Triebe und Blätter),
1 kleine fein geschnittene Zwiebel,
1 fein zerdrückte Knoblauchzehe,
Olivenöl, Pfeffer, Salz, Gemüsebrühe (gekörnt), Prise Curry, Prise Koriander, etwas Rosmarin, Petersilie, Oregano, Melisse, 2 Blättchen frischen Salbei, abgeriebene Schale einer Zitrone, Basilikum.
2 Becher Schlagsahne,
2 Eier,
etwas Mehl,
200 ml Wasser.

Brennnesseln und Borretsch säubern, nicht unbedingt waschen und zerkleinern. Die Kräuter hacken und mit Salz bestreuen, Zitronenschale dazugeben. Knoblauch und Zwiebel in reichlich Olivenöl andünsten, die Brennnesseln und den Borretsch dazu. Mit Gemüsebrühe bestäuben und mit einem Becher Sahne auffüllen. 200 ml Wasser dazu und kurz aufkochen lassen. Dann Mehl mit dem zweiten Becher Sahne andicken und unterrühren. Noch einmal kurz köcheln lassen, dabei gut rühren, vom Herd nehmen und die Eier unterheben.

Lasagneblätter abwechselnd mit der Kräutersoße in eine gefettete Auflauffom geben. Im vorgewärmten Backofen (200 °C) ca. 20 bis 30 Minuten backen.

Wer mag, kann zum Schluss geriebenen Käse darübergeben.

Brennnesselgemüse

Junge Brennnesseltriebe und -blätter sammeln und reinigen, in etwas Wasser und Gemüsebrühe dünsten. Mit Salz, Pfeffer, Zitronenschale abschmecken.

Wer mag, kann die gedünsteten Brennnesseln noch mit einer in Öl geschwenkten Knoblauchzehe versehen.

Schmeckt als Gemüse köstlich zu Tafelspitz, Fisch, in Komposition mit anderen Gemüsen.

Spargel – mal ganz anders

Spargel entwässert, das ist bekannt. Die traditionellen Spargelgerichte schmecken immer noch fantastisch, und doch gibt es neue Varianten, die auch lecker sind.

Spargelnudeln oder Spargelspagetti

500 g Spargel vor dem Schälen ca. 10 Minuten in kaltes Wasser legen, dann schälen. Die Spargelstangen 10 – 13 Minuten kochen, dass sie noch gut zu schneiden sind. In ca. 2 cm große Stücke schneiden.
Je 2 Stängel Salbei, Petersilie, Brennnessel, Schnittlauch (1 Bund), Estragon, Bohnenkraut, Oregano, Borretsch waschen und sehr fein schneiden.
200 g Pilze putzen und klein schneiden und in 100 g Butter kurz anbraten. Weitere 100 g Butter dazugeben und die Kräuter mit den Pilzen auf kleiner Flamme andünsten. 350 g Sahne zu dem Pilz-Kräuter-Gemisch geben und die Spargelstücke dazugeben (wem 300 g Sahne zu wenig ist, der kann mehr verwenden oder mit Wasser strecken). Das Ganze mit Salz oder Brühe gut würzen und unter fertig gekochte Nudeln oder Spagetti mischen.

Spargelsalat

Spargel wie oben beschrieben wässern, schälen, kochen, klein schneiden.
2 Eier kochen und mit dem Eierschneider sehr fein schneiden.
5 EL Öl, 2 EL guter Essig, 2 TL Senf. Salz und alle Kräuter nach Geschmack sehr fein schneiden und mit Essig und Öl vermengen.
5 EL Wasser dazugeben, 5 EL Sahne, 2 EL Tomatenmark. Die Eier daruntermengen und alles zusammen mit den Spargelstücken mischen und gut durchziehen lassen.

Sommer

Holunderblütensirup
1,3 kg Holunderblüten,
4 kg Zucker,
5 l Wasser,
100 g Zitronensäure (aus der Apotheke) oder den Saft von 10 Zitronen und Schale von 3 unbehandelten Zitronen (die ausgepressten Zitronenschalen werden mit aufgekocht).
Den Zucker im Wasser aufkochen und die Zitronensäure oder den Zitronensaft dazugeben, umrühren und alles zusammen über die Holunderblüten gießen, über Nacht stehen lassen. Die Holunderblüten absieben, abtropfen lassen und nun den Sud aufkochen lassen. Heiß in Flaschen füllen und verschließen.
Schmeckt wunderbar zu Melissentee oder nur mit heißem Wasser übergossen oder kalt in Mineralwasser oder in kalten Tees. Fiebersenkend, hustenstillend, schweißtreibend.

Gurkensalat (zum Ausschwemmen)
1 bis 2 Gurken schälen (Schale ist je nach Salatsoße schwer verdaulich) und fein oder grob raspeln,
1 Becher saure Sahne untermengen, Salz, Dillspitzen oder frischen Dill fein schneiden, etwas Senf, wer mag zerstoßene Senfkörner (ist etwas scharf).
Alles gut vermengen und 1 Stunde ziehen lassen.

Wer viel trinken muss bzw. den Flüssigkeitshaushalt anregen soll, kann mit Gurken in allen Variationen seine Mahlzeiten kreieren.
Wer einen leckeren Dipp zu Fleischfondue oder für rohes Gemüse braucht, kann das Rezept wie folgt abwandeln:
1 Gurke schälen und fein raspeln, mit Salz überstreuen und 20 Minuten ziehen lassen, das Wasser abgießen. Sauerrahm, Senf, Senfkörner, Dill, 1 Knoblauchzehe zerdrückt untermischen, wieder ziehen lassen, damit sich der Geschmack gut entfalten kann. Köstlich zu Fleisch und Gemüse.

Kräuterpesto

Eine große Menge an frischen Kräutern wie Oregano, Basilikum, Majoran, Blätter und Blüte von Kapuzinerkresse, Petersilie, Schnittlauch, Liebstöckel, Pimpinelle, Rosmarin, Dill, Melisse, Weinraute, Ysop, Portulak, Kapuzinerkresse.

Alle Kräuter werden gut gewaschen und getrocknet (im Salatsieb gut ausschleudern), dann ganz klein geschnitten oder fein gehackt in eine Schüssel geben. Mit reichlich Olivenöl zu einer sämigen Paste verrühren. Im Mörser und mit dem Stößel ist es natürlich am besten, mit dem Pürierstab geht es ebenso, verliert aber etwas an Qualität. Die Paste wird mit Salz und Pfeffer abgeschmeckt und in einem Glas einen Tag stehen gelassen.

Wer eine Paste ganz im Sinne der Gesundheit herstellen möchte: Brennnessel, Löwenzahn, Weinraute, Majoran, Basilikum, Borretsch, Ringelblumenblüten, Melisse und Fenchelkraut pürieren und nach gleicher Rezeptur wie oben herstellen. Die Paste sollte dick sein, d.h. nicht zu viel Ölanteil haben. Am besten ist es, das Öl langsam tropfenweise hinzuzugeben.

Bärlauch-Pesto: Bärlauch klein schneiden und mit Olivenöl bedecken. Schmeckt köstlich aufs Brot, aber auch zu Nudeln, Braten oder zu Fleischfondue, dann kann noch eine Prise Curry hinzugefügt werden.

Salbeibutter (bei Halsschmerzen)

Frische Salbeiblätter (eine Handvoll) säubern und klein schneiden. Ca. 100 g Butter bei schwacher Hitze zerlaufen lassen, dann den Salbei hinzufügen und ein wenig schmälzen, mit Salz und ein wenig gekörnter Brühe würzen. 250 ml Sahne dazugeben für ca. 400 g Nudeln. Unter gekochte heiße Nudeln mengen.

Ist statt Salbeitee wärmstens zu empfehlen. Nicht jedem ist Salbeitee ein Genuss. Wer aber den Salbei in dieser Form kennen lernt, wird ihn lieben lernen.

Salbei schmeckt ebenfalls köstlich zu Reis. Er lässt sich auch bei einem Braten wunderbar der Soße hinzufügen und verliert seinen strengen Geschmack völlig.

Meerrettich-Apfel-Soße

2 säuerliche Äpfel waschen und mit Schale fein reiben. Meerrettich frisch gerieben oder aus dem Glas, je nach Belieben 2 – 10 EL, unter Sauerrahm oder geschlagene Sahne rühren. Zu Gemüse und zu Tafelspitz.

Herbst

Kürbiscremesuppe

1 kg Kürbisfleisch mit ca. 1 l Wasser und zwei Gemüsebrühwürfeln aufkochen lassen und bei schwacher Hitze ganz weich kochen.

Mit dem Pürierstab pürieren, 250 ml Sahne dazu, je ein Päckchen Frischkäse mit und ohne Kräutern unterheben, zerschmelzen lassen.

Mit Schabziegerklee, Salz, Pfeffer, Curry abschmecken und zum Schluss noch einmal pürieren, damit die Sahne schön schäumt. Sättigt sehr gut. Bei Blasenschwäche!

Stärkendes Powergetränk

1 kg Möhren,
1 kg rote Bete (nur wer mag),
1,5 kg Äpfel,
Saft von 2 unbehandelten Zitronen,
Saft von 5 Orangen.

Möhren, rote Bete und Äpfel in der Saftpresse entsaften (Zentrifuge). Zitronen- und Orangensaft dazugeben, umrühren, trinken.

Ein unglaublich stärkendes, wohl schmeckendes Erfrischungs- und Powergetränk. Gut für alle, die z.B. Nachtwache haben oder wenn ein krankes Kind die Nachtruhe raubt. Im Herbst und Winter unentbehrlich, da es reich an Vitamin C ist und Erkältungen fern hält.

Heiße Honig-Zitrone
Saft einer Zitrone,
1 Tasse heißes Wasser,
1 bis 2 Teelöffel Honig.
Heißes Wasser in eine Tasse geben, Zitronensaft dazu und den Honig zum Schluss unterrühren. So heiß wie möglich trinken.
Gut bei Heiserkeit, als Vitaminspritze im Winter und auch bei Halsschmerzen.

Heiße Honig-Milch
Milch erwärmen, nicht kochen. Honig unterrühren und so heiß wie möglich trinken. Bei Erkältungen, wärmt angenehm, gut bei Einschlafschwierigkeiten.

Winter

Möhrensalat
1 kg Möhren, 5 säuerliche oder süße Äpfel waschen, Kernhaus entfernen und fein reiben. Saft einer Orange, ein Schuss Olivenöl, Saft und Schale einer halben Zitrone.
Trotz Süße köstlich zum Mittagessen oder als Vorspeise.
Wunderbar zu Kartoffelpuffer, Hirseküchlein oder allen sonstigen Bratlingen:
1 kg rote Bete waschen, schälen und fein raspeln. 4 süße Äpfel ebenfalls fein reiben.
1 Becher Sahne und 4 Esslöffel Ahornsirup untermischen. 1 Stunde ziehen lassen.

Sellerie-Apfel-Salat roh
500 g Sellerie waschen, schälen und fein reiben.
5 Äpfel schälen, entkernen und fein reiben.
Mit Apfelsaft, einem Schuss Öl und einer Prise Salz und Sahne abschmecken.

Sellerie-Apfel-Salat gekocht

500 g Sellerie waschen und mit reichlich Wasser (Sellerie sollte bedeckt sein) weich kochen (Probe mit dem Messer wie bei den Kartoffeln machen). Sellerie abtropfen lassen, schälen und in Stifte raspeln. 5 Äpfel fein dazu reiben. Mit Salz, Essig, Öl und 200 g Sahne vermengen. Eine Handvoll Walnusskerne dazugeben.

Diese Salate sind aus Wurzelgemüse, das bei häufigen Kopfschmerzen und Migräne über längere Zeit gegessen werden sollte. Außerdem sind rohe Wurzelgemüse in Kombination mit Äpfeln wunderbare Vitamin-C-Spender und vertreiben Erkältungen.

Fenchelsalat aus rohem Fenchel

Fenchel waschen, halbieren und fein schneiden. Mit einer Kräuter-Sahne-Soße aus Essig, Öl, Kräutern und Sahne übergießen, untermischen und mit reichlich Salz abschmecken. Durchziehen lassen. Gut mit Orange zu kombinieren.
Reich an ätherischen Ölen, das Kraut schmeckt auch gut in der Salatsoße. Vitaminreich.

Zimtäpfel

4 säuerliche Äpfel (wie Boskop) schälen, halbieren und in 2 gestrichenen Esslöffeln Butter andünsten. Mit Zimtzucker bestreuen und ca. 1 – 2 Minuten weiterdünsten. Heiß servieren.

Literatur

Bausinger, Hannegret: Das natürliche Wohlfühlbuch. Kräuter, Bäder, Tees und Wickel. Alte Hausmittel einfach angewendet. Stuttgart 2001.
Daub-Amend, Eveline: Wechseljahre. Gesund und selbstbewusst in eine neue Lebensphase. Stuttgart ^{2}2001.
Glöckler, Michaela (Hrsg.): Anthroposophische Medizin. Stuttgart 1999.
Glaser, Hermann: Erfolgreiche Wundbehandlung. Stuttgart 2000.
Glaser, Hermann: Alte und neue Hausmittel zur äußeren Anwendung. Esslingen 1999.
Graf, Bernhard: Heilen mit Edelsteinen. Die wichtigsten Heilsteine und ihre Wirkungen. München 1999.
Hendel, Barbara: Gesund und fit mit Wasser und Salz. Herrsching 2002.
Jachens, Lüder: Hautkrankheiten ganzheitlich heilen. Stuttgart 1999.
Koch, Birgit Theresa: Diese Kraft in mir. Frankfurt 2000.
Newerla, Barbara u. Peter: Strahlung und Elektrosmog. Saarbrücken 2003.
Perry, Sara: Die schönsten Kräutertees. 1997.
Richter, Ulrike: Lebensmittel schonend zubereiten. Stuttgart 1999.
Schürholz, Jürgen / Harms, Klaus B.: Für eine neue Medizin. Stuttgart 1999.
Sommer, Markus: Der Hausarzt rät. Stuttgart 2002.
Sonn, Annegret: Pflegethema Wickel und Auflagen. Stuttgart 1998.
Thüler, Maya: Wohltuende Wickel. Worb ^{8}1998.
Vogel, Heinz H.: Wege der Heilmittelfindung. Bad Boll o.J.
Voorhoeve, Bert: Un-Ruhestand. Neue Chancen für das Leben ab 55. Stuttgart 1999.
Zauner, Renate: Rückenbeschwerden natürlich behandeln. München 2001.

Adressen

www.aethera.de
www.das-gesundheitsportal.com
www.wickel.ch

Dinkel-, Hirse- und Kirschkernkissen
Friederike Tecklenborg
Amselweg 17
72793 Pfullingen
07121 / 790 942

Wickelpakete (beinhaltet: Wolltuch, Leibtuch, Baumwolltuch, Seidentuch, Wadenwickel)
Hannegret Bausinger
Amselweg 18/1
72793 Pfullingen
07121 / 750 144

Wellness-Studio im Hotel Graf Eberhard
Bei den Thermen 2
72574 Bad Urach
07125 / 148 502

Bildnachweis

Für die großzügige Bereitstellung zahlreicher Fotografien danken wir der Firma Weleda, Schwäbisch Gmünd.
Krishna Subramania: 4, 26, 36, 58, 74, 90, 92, 98, 101 ff., 107 f., 112, 114.
Walter Schneider: 12, 13, 25, 41, 44, 50, 51, 91,
Wolfgang Schmidt: 95, 104.

1. Auflage 2003
aethera im Verlag Freies Geistesleben & Urachhaus GmbH
Landhausstr. 82, 70190 Stuttgart
Internet: www.aethera.de
ISBN: 3-7725-5029-0

Druck: Druckerei zu Altenburg, Altenburg

Hannegret Bausinger

Das natürliche Wohlfühlbuch

Kräuter, Bäder, Tees und Wickel
Alte Hausmittel einfach angewendet

96 Seiten mit zahlreichen Farb- und Schwarzweißabbildungen, kartoniert

ISBN 3-7725-5011-8

Hannegret Bausinger zeigt, wie unkompliziert es auch für den Laien ist, mit Wickeln, Tees oder Bädern umzugehen. Für verschiedene Krankheiten oder einfach nur zum Entspannen finden sich hier zahlreiche Anregungen.

Aus dem Inhalt:

- Was wirkt bei einem Wickel?
- Der feucht-heiße oder feucht-warme Wickel
- Ölwickel – wann hilft was?
- Heilpflanzen- und Kräuterkunde
- Allgemeine natürliche Hausmittel und deren Anwendung
- Öldispersionsbad oder Jungebad
- Erfrischungsbäder
- Wohltuende, beruhigende Bäder
- Duftende Geschenkideen

aethera®